DREI ZEITGENÖSSISCHE ERZÄHLER

edited with Biographical Sketches, Notes, and Vocabulary by

CLAUDE HILL
Rutgers University

AMERICAN BOOK COMPANY
New York   Cincinnati   Chicago
Boston   Atlanta   Dallas   San Francisco

Copyright, 1951, by AMERICAN BOOK COMPANY

All rights reserved. No part of this book protected by the above copyright may be reproduced in any form without the written permission of the publisher.

HILL: *Drei Zeitgenössische Erzähler*

Made in U. S. A. E. P. 1

FOREWORD

TO THE STUDENT OF GERMAN A RICH VARIETY OF NOVELETTES OF the 19th century is available in carefully prepared editions, but the choice of first-rate contemporary prose is still limited. And yet the educational validity of offering modern idiomatic material, rather than the often antiquated sentence structures or obsolete themes of the past, has been admitted by most progressive teachers in our colleges. Even more compelling seems to be the complaint of many students that they find German literature, as represented in text editions, frequently dull and uninteresting and, only too often, emotionally childish. The same young people who are expected to judge Hemingway and Faulkner as leading protagonists of modern American prose are not infrequently confronted with immature trifles by second-rate authors in their German reading courses. Last but not least, the political events of the last decades seem to have increased a general interest in the problems of 20th-century Germany, which has played so fateful a role during our lifetime. Unless the prevailing conception of literature as a nation's mirror is to be abandoned in language courses, American students are entitled to read that type of modern German fiction which is considered first-rate, representative, mature, and interesting.

The authors of *Drei Zeitgenössische Erzähler* are well established and internationally recognized. Leonhard and Bruno Frank have already been represented in college texts. Hermann Kesten is here introduced to American students for the first time. The three stories are believed to be characteristic of German life of the last three decades. Leonhard Frank's *Im letzten Wagen* is typical of the vision of the "new man" which many young intellectuals and artists shared in the early years of the Weimar Republic. Hermann Kesten's *Die Rache,* though only a minor story, is indicative of the spirit of depression and unemployment in the late 1920's. Bruno Frank's *Sechzehntausend Francs,* including an account of the rise of the Nazi regime, illuminates the whole period from 1918 to 1933. The selections are German not only in style but also in setting, background, and theme. Arranged in chronological order, they throw some light on the German national character and its development in the 20th century.

The editor offers *Drei Zeitgenössische Erzähler* to teachers and students of higher than average taste. The comprehensive vocabulary enables even students with only one year of German to enjoy these stories, their exciting plots, individual styles, and psychological subtleties. The text may be found most welcome in so-called advanced intermediate classes; however, there is no reason why an average class could not read the book in the third or fourth or fifth semester of college German. Should the expressionistic style of Leonhard Frank's story prove to be too difficult at first, it is suggested that the class might start with either the second or the third selection.

The editor wishes to acknowledge the valuable help, in preparing the vocabulary, of his former student, Mr. Herman Horowitz, now teaching assistant in the German Department of the University of California at Berkeley.

Rutgers University   *Claude Hill*

CONTENTS

FOREWORD

LEONHARD FRANK	1
IM LETZTEN WAGEN	9
HERMANN KESTEN	53
DIE RACHE	59
BRUNO FRANK	67
SECHZEHNTAUSEND FRANCS	73
GERMAN-ENGLISH VOCABULARY	129

LEONHARD FRANK

IM LETZTEN WAGEN

Photo by Fred Stein

LEONHARD FRANK

ONE OF THE MOST GENUINE AND DISTINGUISHED MASTERS OF modern German literature is the Franconian writer Leonhard Frank. Although he is essentially a prose author, it was as a playwright that he achieved world-wide fame with a stage adaptation of his novel *Karl und Anna* (recently produced in Hollywood under the title *Desire Me*). Most of his books have been translated into many languages, and his stature has already been firmly established in the annals of contemporary world literature.

Leonhard Frank was born in the beautiful cathedral city of Würzburg in 1882. Of proletarian background, struggling with poverty and hunger, with only limited formal schooling, he held a variety of odd jobs before he emerged as a writer. He worked as a mechanic, chauffeur, and laboratory assistant until his twentieth year and then drifted along for about a decade in semi-literary and artistic circles in Munich. He was thirty-two when his first novel, *Die Räuberbande*, was published. Quickly recognized as an outstanding talent, he rose to literary fame during and after the first world war. As a member of the Prussian Academy of Literature he was generally considered one of the leading novelists of the Weimar Republic when the rise of the Nazi regime forced him into voluntary exile. On March 13, 1933, he left Germany. For four years he lived in Switzerland, with short intervals in France and England. Interned in the Bretagne during the war, he narrowly escaped when the German troops entered the camp. After a harrowing flight to the unoccupied zone of France, at the age of fifty-eight, he finally came to this country in 1940 and went to Hollywood, where he stayed for five years. In 1945 he moved to New York City, where he remained until his return to his native Würzburg in the fall of 1950.

Frank's first novel, *Die Räuberbande* (1914), predominantly a creation in the naturalistic style, already shows overtones of literary Expressionism, with which the author, although never belonging to a strict "school" or circle, was more closely associated than with any other movement. The adventures and tribulations of an adolescent gang, the individual developments of the members into either smug burghers or romantic outcasts, are lovingly sketched by the author, who achieves a rare blend of psychological insight, social critique, and south German regionalism in this work. An accusation against society, the will toward reform, and political protest dominate his second short novel, *Die Ursache* (1915). The theme is the justification of a murder which the hero commits, and the book ends with a powerful plea against capital punishment.

Dissatisfaction with the existing order, fight against the growing mechanization of life, search for a "new man," failure of previous literary movements—all these and similar impulses were intensified by World War I. What emerged on the artistic scene in those years is generally called Expressionism, a movement that swept Europe between 1912 and 1924 and was particularly strong in Germany. Leonhard Frank's third book, a collection of stories under the significant title *Der Mensch ist gut* (1918), is one of the most powerful documents of literary Expressionism. Man is essentially good—only modern society has perverted him. This is the theme of these ecstatically written indictments of war, capitalism, and imperialism. The novelist becomes a preacher and a pamphleteer. What his stories may lack in literary polish they make up for in social impact. From then on the author was stamped in Germany as a "leftist" and a pacifist and a propagandist, a reputation he has only recently lived down. At the end of this pointedly political period of writing in the early 1920's stands his fourth book, *Der Bürger* (1924), a novel about the spiritual disintegration of a bourgeois.

Leonhard Frank's most successful work was written after he had shifted his emphasis from social-political reality to the timeless, ageless, and classless realm of human character. Thus, *Karl und Anna* (1927) treats the problem of the returning soldier in an almost classic manner that is as valid in Germany or France or the United States today as it was overpowering three decades ago. The author himself adapted the slender novel for the theater, and the play was performed on most stages of the western world. In those years there also appeared what is perhaps Frank's most beautiful work of fiction, *Das Ochsenfurter Männerquartett* (1927), a continuation of his first book: the romantic youths of prewar Würzburg have now become mature men of postwar Germany and its sickly climate.

Frank's social novel dealing with the problem of unemployment, *Von Drei Millionen Drei* (1931), is a testimony of world depression and the approach of Fascism. Three simple men, in their search for work, emigrate to South America. After the death of one of them, the remaining two comrades return to Germany. In this novel, the social accuser and propagandist Frank abandoned the radicalism of his younger days, and it was the essence of the human personality, the soul of man, that absorbed his interest.

The years of exile seem to have increased Frank's preoccupation with the ageless, the typical, the characteristic. The theme of *Traumgefährten* (1936), part of which takes place in an insane asylum, is the tragic separation of physical and spiritual love.

Psychoanalytical influences seem manifest in this novel, the problem of which reappears in *Deutsche Novelle* (1950), written in 1944. As the title suggests, the author has here created a symbolic image for the soul of modern Germany: Franziska is slowly driven into the arms of a lecherous servant whom she mentally loathes, but who holds an irresistible sexual appeal for her. After the physical union she kills both the man, who has befouled her soul, and herself, whose life has been forfeited.

The purity of love is, finally, the subject of the long novel *Mathilde* (1948), the scene of which is Switzerland before and during the last war. The work is, to a certain extent, the "Bildungsroman" of a girl: Mathilde, whose first marriage is a failure, spiritually matures through her love for the Englishman Weston. Strongly autobiographical elements can be found in the last part of the novel—Weston's flight from a French internment camp to the unoccupied part of France.

In his last book, *Die Jünger Jesu* (1949), Frank has returned to the Würzburg of his youth. The action takes place in postwar Germany in 1947 and revolves around a secret society of boys who fight the black market, corruption, and neo-Nazism, and who help the aged and neglected. Although the author minces no words about the dangers of still-extant anti-Semitism and corruption, his main concern is again the individual soul, the development of character, and the relationships of people as human beings.

Leonhard Frank has never been a prolific author. He has always worked exceedingly hard, and the business of writing has never been easy for him. Although very social-minded and completely devoted to progress, motivated by a sterling sympathy for the "underdog," he has gradually freed himself from political or propagandistic encroachments on his artistic integrity. His professed literary masters are Stendhal, Flaubert, Tolstoy, and Dostoevski. Never belonging to a school or circle, the younger Frank might, nevertheless, be called an exponent of German

Expressionism. Some of the characteristics of that movement he has retained all through his life: a preoccupation with the essentially and typically human; a strongly developed sense of justice; social consciousness; a terse, taut, rhythmic, somewhat exalted prose; a style resounding with lyrical and poetic undertones. Although deeply rooted in the geographical and cultural landscape of his native south Germany, Leonhard Frank has gained world-wide acclaim as one of the major writers of our time.

Im letzten Wagen was written shortly after World War I. This highly typical "Novelle" is one of the most interesting pieces of modern German prose. It shows the author in his strong affinity with the expressionistic movement. In it there are sympathy with the "underdog," revolt against the bourgeois world, strong feeling for brotherhood, pronounced political awareness, a will toward social reform, rejection of the existing judicial system, typification of characters, exalted and compressed language, and a condensed and almost explosive style. The plot is exceedingly simple: the last car of an express train becomes detached in the Alps, the passengers experience the intense reality of a spirited and classless society for a few seconds; after they have been saved, they drift back to the gray dullness of business routine, social prejudice, pretension, and shallowness in human relations. The story is highly charged with symbolism. The passengers represent a cross section of the classes which existed in the young Weimar Republic, and the author seems to imply that only in the vicinity of soul-shaking experiences like death is man revealed in his pure humanity. Its lesson is obviously as valid today as it was thirty years ago. The story offers to American students the added advantage of "plot interest" by means of skillfully created and breath-taking suspense. A few minor passages, mostly referring to dated political references, have been omitted with the permission of the author.

IM LETZTEN WAGEN

I

ERFRISCHT DURCH DEN VIERWÖCHIGEN AUFENTHALT IM HÖHENkurort, spazierte der noch junge Bankier zwischen Forellenbach und der immer nassen Hochgebirgswand dem Waldcafé zu, um auf der weit hinausgebauten Terrasse zum letztenmal die aromatischen Erdbeeren zu genießen und dabei auf die ermunternden Geräusche der Maschinen des großen Sägewerkes zu lauschen.

Schritt, lebensfroh, summend, durch Grün und Blau und stellte sich die reizende Talfahrt vor: den fünfhundertzwanzig Meter über der Talsohle liegenden, in die Luft hineingebauten, berühmten Viadukt, von dem aus Gebirg und Flachland bis in weite Fernen zu sehen sein würden.

Er stemmte die Mütze wie eine Hantel senkrecht hoch, heiteren Gemütes dankend für den weitausholenden Strohhutgruß des Kurzwarenreisenden, der, zufrieden über den einträglichen Geschäftsabschluß, eben aus dem an der Felswand klebenden Laden getreten war.

«Diese Luft! Diese Blumen! Wie das riecht hier, was!» rief der Kurzwarenreisende. «Und diese Felswand! Ist sie nicht geradezu ein Symbol Deutschlands?»

«Weil sie immer tropfnaß ist?»

«Nee, diese trotzige Wucht!»

Sie hatten einander erst tags vorher im Sonnenbade kennengelernt.

«Ich werde vorbeugen.»

«Was werden Sie?»

«Vorbeugen! Man muß vorbeugen. Arme . . . hebt! Arme . . . senkt! Knie . . . beugt! Knie . . . streckt!» Er machte noch eine Kniebeuge, stieß dabei die Arme vor, daß die Schultergelenke knackten. «So! mein lieber Herr, so bleibt man jung.»

«Das wechselt,» antwortete der Arbeiter, der in dem offenen Schuppen des Sägewerkes an der Fräsmaschine stand. «Gestern sind auf einen Sitz[1] gleich hundert Mann entlassen worden. Jetzt sinds noch an die siebenhundert.[2] Wir haben ja zehn Werkführer.»

«Und der Besitzer?» fragte der Bankier.

«Der war auch einmal hier. Das mag jetzt fünf Jahr her sein. Da hat er eine Automobiltour durchs Gebirg gemacht und ist bei der Gelegenheit auch ins Werk gekommen. . . . Der lebt in Berlin. Letzthin erst hab ich in der Zeitung gelesen, da hat er gleich zweihunderttausend für . . . Kulturbestrebungen hergegeben. Für ein Theater!»

«Ich kann Ihnen versichern, daß ich seit Monaten nicht mehr Zeit finde, ins Theater zu gehen,» sagte der Kurzwarenreisende. «Direkt[3] Hochkonjunktur in meiner Branche!»

«Ja, es scheint wieder etwas aufwärts zu gehen. . . . Ist dein Händchen in die Maschine gekommen?» Der Bankier legte die Hand auf den blonden Scheitel des Mädchens, dem die Linke fehlte.

«Nein, ich bin schon so geboren,» sagte das Kind sofort, als

---

[1] auf einen Sitz: *at one sitting, at the same time*
[2] an die siebenhundert: *about seven hundred*
[3] Direkt: [here] *really*

ob es diese Frage schon oft beantwortet hätte, und versteckte den dünnen Armstumpf unter dem Schürzchen.

«Da hat sich die Mutter in der Schwangerschaft versehen. Das kommt öfters vor in unserer Gegend, weil doch so viel Unglücke geschehen an den Sägmaschinen. . . . Die Schutzvorrichtungen sind eben nicht so, wie sie sein sollten.»

«Das wird jetzt auch alles besser werden,» tröstete der Bankier. «Die neue Zeit bringt das so mit sich.»

Der Reisende warf die Hand vor: «Na, waren Sie denn auch schon mal in einem Theater? Oder kommt ihr hier. . .» Er sah sich um, als ob vom Hobelspanhaufen oder vom Werkstattdach abzulesen wäre, ob die Leute hier auch ins Theater kämen.

«Ja was, Theater!» Der Arbeiter drehte den Hebel: die Fräsmaschine begann zu rauschen und hüllte ihn in Holzstaub ein.

«Hier, mein Kind, das bringst du deiner Mutter.» Der Bankier drückte dem Mädchen einen Geldschein in die Rechte und ging elastisch durch das Tor.

Kehrte plötzlich noch einmal um und tätschelte des Kindes Wange. «Wie heißt du denn?»

«Soso, Bärbelchen![4] Na, siehst du!»

Kleinen Schritt vor kleinen Schritt setzend, stieg er geruhsam caféwärts, hinter sich den keuchenden Reisenden.

Als der Kellner die zweite Portion brachte, klangen aus dem großen Hofe des Sägewerkes, der schwarz von Menschen war, vereinzelte Worte herauf.

«Einberufen wurde die Versammlung wahrscheinlich deshalb, weil hundert Leute entlassen worden sind,» antwortete der Kellner.

Der Reisende legte den gefüllten Erdbeerlöffel zurück. «Beim hellichten Tage! Die Sonne scheint.»

---

4 Bärbelchen: [diminutive] *little Barbara*

«Samstagnachmittag wird nämlich sowieso nicht gearbeitet.»
«Und weshalb wird nicht gearbeitet, wenn ich fragen darf? Ich zum Beispiel muß selbst heute, am Tage meiner Abreise, noch zwei Kunden besuchen.»

An dem Tischchen, das auf dem Bretterstoße stand, saß der Versammlungsleiter, vor sich die Glocke; neben ihm lehnte der Parteisekretär[5] des Bezirkes und sprach über die Grundsätze der sozialen Demokratie: über den Endsieg des Sozialismus durch die allmählich zu erringende Mehrheit im Parlament.

Die Versammlungsteilnehmer – sämtliche Arbeiter des Betriebes und eine Anzahl Forstarbeiter – standen und saßen auf den Bretterstößen. Viele zählten Geld. Es war Lohntag. Viele schimpften.

Vor dem Zaune stand ein x-beiniger Herr, der gelbe Gamaschen trug und, in der Hand ein großes Notizbuch, verträumten Blickes die fernen Gebirgsketten betrachtete, als dichte oder zeichne er.

Der ortsfremde Arbeiterführer, ein von seiner Partei aus der Hauptstadt eigens hierher geschickter Agitator, dessen Namen alle schon oft in der Zeitung gelesen hatten, war auf den Bretterstoß gestiegen.

Schon nach den ersten Sätzen, mit denen er, ausgehend von dem Tageskampfe, hinwies auf das große Ziel, um das der Arbeiter seit Generationen kämpfe, ersuchte der Versammlungsleiter den Agitator, nicht abzuschweifen, und schwang, da die Arbeiter, als wollten sie hören, was sie ersehnten, heftig widersprachen, anhaltend die Glocke.

Der erst dreißigjährige Agitator, der in der gebeugten Haltung eines Sechzigjährigen auf dem Bretterstoße stand, ließ die dicke Unterlippe noch tiefer hängen, wartete blicklos, bis der Tumult verklungen war. Die Hosenknie waren herausgedrückt, die mageren Schulterblätter standen weit vor.

---

5 Parteisekretär: *district secretary of the Social Democratic Party*

Schwarzblaue Wolken hingen über dem Talauslauf. Der Agitator sprach schneller und pausenlos, unterstützte, vortretend bis an den Rand des Bretterstoßes, die Worte mit Handbewegungen. Die Arbeiter saßen und standen reglos und blickten.

Schon überquerte der erste trockene Blitz das ganze Tal, als sende der Gipfel dem gegenüberstehenden das Signal.

Vor dem Zaune stand der Gamaschenherr noch immer in der selben träumerischen Haltung an dem selben Flecke.

In der Gewitterecke ging schon schräger Strichregen nieder; die Caféterrasse lag noch in der Sonne. «Ich stehe rechts.[6] Radikal rechts! Nur so kann Deutschland wieder groß werden.»

«Und ich, sehen Sie, ich bin Demokrat,» sagte, tief in sich ruhend, lächelnd der Bankier. «Die Fähigsten, nämlich diejenigen, die etwas gelernt haben, sollen des Volkes Führer werden.»

Der Reisende horchte auf das Beifallsklatschen, das heraufklang und sagte: «Na, ich sage nichts.»

Vereinzelte große Tropfen klatschten auf den Tisch des Versammlungsleiters und zerstäubten.

Arme zur Brust hochgenommen, trabte der Bankier den Serpentinweg herab, auf den Arbeitshof zu.

«Jetzt gehts auch ohne Versammlung,»[7] stieß der Reisende keuchend hervor, da schon viele Teilnehmer, Rockkragen hochgeschlagen, durch das Tor sprangen.

Der ganze Himmel war blauschwarz. Feurige Blitzschlangen zuckten aufeinander los, durchzuckten und verfingen kämpfend sich ineinander, begleitet von sekündlich krachenden Donnerschlägen.

Jetzt erst verließ der Gamaschenherr den Zaun und eilte, durchnäßt bis auf die Haut, mit langen Schritten durch die senkrecht herabstürzenden Wassermassen.

---

6 Ich stehe rechts: The traveling salesman affirms his reactionary views.

7 Jetzt gehts auch ohne Versammlung: Now, suddenly, the meeting no longer seems important.

Der Bankier hatte das Hotel erreicht. Der Arbeitshof war leer. Minuten später segelten zerfetzte Wolken gleich aufgescheuchten Riesenvögeln hoch über dem Tale und verschwanden hinter den Schneegipfeln, die stellenweise in der Sonne aufblitzten. Die Sperlinge begannen überlaut zu schreien. Alles funkelte naß.

Schon rollte der Hotelwagen, beladen mit den gelben Koffern der abreisenden Kurgäste, die noch beim Diner[8] saßen, vorbei an der langsam sich drehenden Rangierscheibe, auf der, frisch auflackiert und glänzend, der letzte Wagen stand.

II

DER BETRUNKENE BAHNARBEITER TAUMELTE SO HALTLOS ZWISCHEN den Puffern umher, daß sein mitjohlender Arm[9] beinahe abgequetscht worden wäre von dem anrollenden letzten Wagen.

Aus dem Pufferknall stieg der Gröhlgesang empor. Die Hand griff gewohnheitsmäßig nach den Kuppelungen. Dann brüllte er dem Lokomotivführer ein Wort vor, das von den Bergwänden als Wutschrei vervielfacht zurückgeworfen wurde, und torkelte wieder auf die Bahnhofskneipe zu.

«Auch das scheint sozialistisch zu sein,» sagte ein Offizier und stieg in den letzten Wagen ein.

«Ich wußte übrigens bisher gar nicht, daß der verehrte Herr Präsident zwei Söhne hat.» Der Herr, ein Staatsanwalt, verbeugte sich, ließ den Agitator zuerst hineinsteigen in den letzten Wagen. «Und freue mich aufrichtig, Sie kennengelernt zu haben. Dieser Zufall!»

Der Agitator ließ die dicke Unterlippe hängen.[10] ‹Er hat während der Revolution[11] mehr als dreihundert Jahre Zuchthaus mit

---

8 Diner: [French] *dinner*
9 mitjohlender Arm: [literally] *the arm which also was bawling along.* The railroad worker's drunkenness showed itself also in his arm movements.

10 The following passage reveals the ideas of the labor organizer about the district attorney.
11 Revolution: refers to 1918 and 1919.

Erfolg gegen Arbeiter beantragt, ist zweifellos über alle führenden Genossen[12] sehr genau unterrichtet, hat sicher auch meine Photographie in seinem Ermittlungsarchiv und weiß ganz bestimmt, daß ich das alles weiß. Weshalb also fabriziert er einen zweiten Sohn für meinen Vater? Will er sich lustig machen? Gut, unterhalten wir uns! Die Fahrt ist lang.›

Durch den Tonfall, kaum merklich ironisch, hatte der Staatsanwalt zu verstehen gegeben, daß ihm das Nichtvorhandensein eines zweiten Sohnes bekannt sei.

«Und wie erklären denn nun Sie sich diese Ungeheuerlichkeit, daß Ihr Bruder, dem Ihr Herr Vater doch gewiß die selbe sorgfältige gutbürgerliche Erziehung hat angedeihen lassen wie Ihnen, dermaßen entgleisen konnte?» fragte er und lächelte. Dann fuhr er fort: «Wenn er nur ein Ausgerutschter wäre, ein flotter Junge, der Schulden machte, nichts arbeitete, verbummelte! Das kann in jeder gutbürgerlichen Familie vorkommen. Jedoch seine Kulturpflicht, alles, was ein Angehöriger unserer Kreise seiner Erziehung und seinem Stande schuldet, zu vergessen und sich Existenzen anzuschließen, die unser Volk mit aller Gewalt dem Abgrunde zutreiben, das, wahrhaftig ist unbegreiflich bei einem Sohne aus guter Familie. Sie entschuldigen schon, daß ich so rückhaltlos über Ihren Bruder spreche, Herr Doktor. Verzeihung, Sie haben doch Ihr Examen schon gemacht?»

«Ich bin Doktor der Nationalökonomie.»

«Ihr Bruder auch, wie? wenn ich nicht irre.»

«Auch mein Bruder ist Doktor der Nationalökonomie. Wir sind Zwillinge.»

«Ich habe übrigens erst kürzlich wieder mit Ihrem Herrn Vater diesen peinlichen Fall besprochen, und der Herr Präsident war . . . »

« . . . ganz der selben Meinung, kann ich mir denken. Mein

---

[12] Genosse: The form of address used by members of the Social Democratic Party to one another.

Bruder hingegen – er plaudert noch zuweilen mit mir – ist der Meinung, daß durch den Krieg die Nation in den erwähnten Abgrund gerutscht ist, und daß immer wieder Kriege kommen müssen, solange die Produktionsmittel nicht überführt seien in gesellschaftliches Eigentum.»

«Und zu denjenigen, die glauben, daß diese kleine Überführung halbwegs friedlich vonstatten gehen werde, wenn nur die Zeit und die ökonomischen Verhältnisse und der Kapitalismus und die Arbeiterklasse dafür reif und auch die außenpolitische Lage und noch ein paar Dutzend anderer Dinge grad einmal[13] günstig sein werden für diesen kleinen Hopser, gehört Ihr Bruder nicht, wie?» fragte lächelnd der Staatsanwalt und forderte den x-beinigen Gamaschenherrn, der halb im Laufgang, halb im Abteil stand und sein Ohr hereinstreckte, mit einem unmerklichen Kopfschütteln auf, sich zu entfernen, trat an das Fenster, zu sehen, ob der Zug bald abfahre.

‹Dieses hundertsiebzig Zentimeter lange Ohr habe ich doch schon irgendwo gesehen. . . . Sollte mein Leibspitzel etwa schon zum Provokateur avanciert und dieser Anfänger mir als Leibspitzel[14] zugeteilt worden sein?› dachte der Agitator und zeigte dem Gamaschenherrn jenes muntere Lächeln, das wie ein vorgehaltener Revolver auf alle Spitzel wirkt, die nicht schon ganz kaltblütig sind.

Der Spitzel lächelte munter zurück.

‹Also doch kein Anfänger!›

«Wir lieben einander so, daß auf dieser Erde nichts geschehen kann, das unsere Liebe ernsthaft zu gefährden vermöchte. In uns, in unserer Liebe, ist die Welt erlöst,» sagte der Bankier zu seiner jungen, hochschwangeren Frau und führte sie überaus

---

13 grad einmal: *just once, just about, accidentally*
14 Leibspitzel: *detective assigned to spy on a person*. Realizing that the man in leggings is obviously his new "shadow," the labor organizer wonders whether his former, long-familiar old police agent has been promoted to the higher rank of *Provokateur*.

behutsam zum letzten Wagen. «Welch ein Glück, zu arbeiten, zu leben und zu sterben für dich. Welch ein Glück!»

Außer diesem Ehepaare saßen in diesem Abteil des letzten Wagens: ein Geistlicher, der Offizier, ein Universitätsprofessor, ein Chefredakteur und der Kurzwarenreisende, der bereitwilligst seinen Fensterplatz der Schwangeren überließ. Ob er ihr sein Reisekissen anbieten dürfe.[15]

Sie dankte freundlich, zog selbst eines aus dem Koffer und sah sofort wieder ihren Mann an, schien dabei gleichzeitig in ihren Leib hineinzusehen.

«Wäre mir ein Vergnügen gewesen,» rief der Reisende noch und machte sich schmal, damit es die Schwangere bequemer habe. Seine Stimme war so scharf, daß der Agitator, der allein mit dem Staatsanwalt im Nebenabteil saß, das A-Gekrächze[16] einer Schar Raben zu hören glaubte.

Der Universitätsprofessor saß zurückgelehnt in der Ecke bei der Tür, eine schottische[17] Reisedecke über den Knien, blickte hervor unter der schottischen Reisemütze, durch klare Augengläser durch, freundlich auf die kleine Höflichkeitsszene, die schon vorüber war. Obgleich nun alle schwiegen, schien es, als ob er ganz besonders schwiege und während der ganzen Reise nicht sprechen würde.

Durch die Besorgtheit des Reisenden um die junge Frau war in diesem Abteil eine angenehme Stimmung von Zusammengehörigkeit entstanden. Sogar der Offizier hatte, bei aller gegebenen Reserve,[18] einen freundlichen Zug um den Mund, obwohl eine Vorstellung noch nicht erfolgt war. Und des Geistlichen wehmütig-herzlicher Gesichtsausdruck zeigte rückhaltlos, daß nur gegenseitige Güte und Liebe die unabwendbaren Härten des Lebens mildern können.

---

15 The main clause *Er fragte,* [*ob* . . .] is omitted.
16 A-Gekrächze: *croak sounding like the German letter A*
17 schottisch: *Scottish*
18 bei aller gegebenen Reserve: *as far as his reserved nature permitted*

Der Bankier, entschlossen, ein zärtlicher Vater zu werden, bemühte sich um seine Frau, die noch im Laufe der kommenden Woche gebären sollte. Und sie zog ihren Blick nur zurück, um ihn in ihren Leib zu senken.

«Vermutlich werde ich auch bei den noch kommenden politischen Sensationsprozessen wieder der Anklagevertreter sein. Nun stellen Sie sich meine Situation vor, wenn, verhetzt und geführt durch Ihren Bruder, die Arbeiterschaft wieder einmal streiken oder demonstrieren, plündern und mit der Polizei oder dem Militär zusammenstoßen würde. Dann müßte ich gegen ihn, den Sohn unseres hochverehrten Herrn Präsidenten, eine hohe Strafe, möglicherweise gleich fünfzehn Jahre. . . .»

«. . . Oder gar[19] die Todesstrafe?»

«. . . Gewiß, bei Zugrundelegung ehrloser Gesinnung,[20] unter Umständen die Todesstrafe beantragen.»

«Gegen mich. Sehr nett.»

«Welch eine Situation für mich! Begreifen Sie?»

«Ich begreife. Sie können einem direkt leid tun.»

«Vor allem aber doch der Herr Präsident!»

«Und am Ende gar auch noch mein Bruder?»

«Wenn Sie wollen – auch er! Aber: Revolution ist Kampf. . . .»

«Das sagt mein Bruder auch immer.»

«. . . und wer sich in Gefahr begibt, muß damit rechnen, daß er darin umkommt. . . . Den Psychiater würde Ihr Bruder, wie ich ihn kenne, nicht in Anspruch nehmen; er würde vielmehr den Gerichtssaal als Forum benutzen, um eine Agitationsrede zu halten: die letzte Gelegenheit benutzen, seiner Idee zu dienen.»

«Mit dem möglichen Todesurteil vor Augen! . . . Und dennoch käme unter Umständen ehrlose Gesinnung und Todesstrafe in Frage bei . . . mir?»

---

19 oder gar: *or even*
20 The assumption of dishonorable intent increases the penalty, according to German law.

«Ja! Denn Führer Ihrer Art sind ganz besonders gefährlich.»
«Und müssen beseitigt werden, wie?»
«So ist es.»

III

DER ZUG BEGANN ZU ROLLEN. VOR IHM WAR AUS DIESER KURORT-Station, der höchstgelegenen des Landes, ein Güterzug, mit Stammholz beladen, abgerollt. Am Verladeplatz lag noch Baumrinde zwischen den Schienen; die langen, schmalen Rauchfladen klebten noch an den nassen Bergwänden.

Im Laufgang stand allein ein alter Korpsstudent,[21] der Staatsanwalt werden wollte – emporgeschwungener, saftschwarzer Schnurrbart auf schmißdurchzogener, bleicher Fläche, – blickte auf die senkrecht emporsteigenden, nassen Felswände, hinunter in die Tiefe, wo die Dörfchen, winzig wie aus einer Spielzeugschachtel hingestreut, blau auf grünem Samt lagen. Dabei zog der Korpsstudent seine Unterlippe vor und ließ sie zurückschnellen, ungefähr in dem Tempo, wie die Telegraphenstangen vorbeirückten; er litt an Langeweile. Und an Wasserschneiden.[22] Deshalb stand er im Laufgang.

Ein Arbeiter, der sich in den Laufgang des Zweite-Klasse-Wagens verirrt hatte, lehnte am Nebenfenster und aß einen grünen Apfel. Er war einer der hundert Entlassenen und fuhr in die Hauptstadt, in der Hoffnung, dort Arbeit zu finden.

«Gesegnete Fluren.»

«Aber Kohlen! Kohlen fehlen uns,» wiederholte hartnäckig der Kurzwarenreisende.

---

21 Korpsstudent: *member of a corps*. A *Korps* is the most fashionable, expensive, and socially exclusive type of German fraternity. It requires its student-members to fence and take part in duels. Consequently the Korpsstudent's face is scarred (*schmißdurchzogen*).
22 Wasserschneiden: *bladder pains*

Und der Geistliche: «So Gott will, werden wir bald auch wieder Kohlen haben.»

Auf «Gott» antwortete der Reisende nicht; er sagte: «Ohne Kohlen keine Produktion. Ohne Produktion kein Export. Und ohne Export keine Schuldentilgung und kein neuer Aufschwung. Das ist klar. Kohle ist alles.»

Die Schwangere hatte die Augen geschlossen. Sie lebte ihre zwei Leben für sich.

Der Bankier sagte: «Jawohl, Kohlen! Dazu noch langfristige, große Kredite. Und Arbeit, versteht sich, nur Arbeit. . . .»

«. . . kann uns retten. Das ist klar. Arbeit ist alles.»

Es wird aber schwer halten,[23] Beschäftigung zu finden; es gibt gar zu viel Arbeitslose, dachte der entlassene Holzarbeiter. ‹Was die da drinnen reden.›

«Und weshalb bei den großen politischen Sensationsprozessen gerade ich zum Anklagevertreter bestellt wurde, will ich, falls es Sie interessiert. . . »

«Das interessiert mich sehr.»

«Aber mit Vergnügen! Will ich Ihnen gerne erklären,» rief der Staatsanwalt. Er rief es, und in seinen Augen lebte die Begeisterung eines Siebzehnjährigen wieder auf.

«Sehen Sie, ein Jüngling hat nur Interesse für das Fußballspiel. Für ihn ist das ganze Leben eine Fußballwiese. Einer sehnt sich nach der Landstraße, nach einem Leben der Unbändigkeit auf dem Meere, und begreift nicht den Ehrgeiz des anderen, der, weiß der Himmel weshalb,[24] absolut der erste Lithograph seiner Heimatstadt werden und des Nachbars Lenchen heiraten will, aber plötzlich Schiffsjunge auf einem Indienfahrer ist, während der Schwärmer für die Unbändigkeit als Schreiber im Magistratsbureau sitzt.»

Der Spitzel erschien an der Tür, blickte interessiert das Gepäcknetz an. Der Staatsanwalt winkte offen lächelnd ab.

---

23 Es wird schwer halten: *It will be difficult* 24 weiß der Himmel weshalb: *Heaven knows why*

«Im Parterre[25] bastelt einer seine ganze Jugendzeit hindurch Dampfmaschinchen; der im Stock über ihm sammelt Schlangen; es gibt welche, die alles sammeln, und welche die prinzipiell nur das sammeln, was sie auf der Straße finden. . . . Meine Jünglingsleidenschaft nun war das Studium der politischen Prozesse und revolutionären Bewegungen aller Völker und Zeiten. Heute bin ich Staatsanwalt. Mein Leben ist aus einem Guß.»[26]

Der Zug, der Verspätung hatte, hielt. Nur eine halbe Minute. Und als er schon wieder langsam anrollte, fiel ein keuchender Bauer, Sense voran, noch über die Trittbretter herauf, in den letzten Wagen.

«Ich besaß alle einschlägigen Werke, alle! und studierte sie, las sie und las sie immer wieder, ganz und gar erfüllt von Empörung über die wilde Ungerechtigkeit der Herrschenden, ganz und gar erfüllt von Leidenschaft und dem Entschlusse, ein Rächer der Armen, ein Revolutionär zu werden, wie die Welt noch keinen sah.»

«Das klingt ja, als schilderten Sie nicht Ihre sondern meine Jünglingsleidenschaft.»

«Aber eines Tages erkannte ich, daß ich Revolutionen und Welterlösungsversuche sozusagen auch nur gesammelt hatte.»

«Und dennoch glauben Sie, Ihr Leben sei aus einem Guß?»

Eine Sekunde schwieg der Staatsanwalt. Auf seinem Gesicht stand während dieser langen Sekunde das Schemen seines versunkenen Ich, stand am Ufer des Lebens und konnte nicht in das Leben treten.

Da verzog er das Gesicht, daß es plötzlich einer Gipsmaske glich, die an der Wand hängt und zu lächeln beginnt. «Es erging eben auch mir wie dem Unbändigen, der sich nach dem freien Meere sehnte und vom Leben in ein Magistratsbureau gesetzt wurde. . . . Was wollen Sie, es gibt viele, die als Jünglinge die Welt erlösen wollten. Auch da drüben im Nebenabteil, unter

---

25. Parterre: *ground floor*   26 aus einem Guß: [id.] *without a break, consistent*

diesen Repräsentanten des Volkes – nicht wahr: Kirche, Wissenschaft, Kapital, Militär, Presse, Korpsstudent – ist vielleicht einer. Und wer weiß, ob nicht vielleicht sogar dieser Spitzel einmal in seinem Leben... Das Leben ist hart.»

«Aber du machst dir ganz offenbar gar keine Vorstellung davon, was solch eine ‹Wald- und Arbeitsschule mit Internat für begabte Arbeiterkinder› – klingt ja sehr schön – für Summen verschlingen würde,» flüsterte der Bankier. «Häuser bauen und einrichten! Lebensunterhalt für langhaarige Lehrer und Sandalenfräuleins![27] Und diese Mengen, die deine begabten Arbeiterkinder verschlingen, wenn der Tag lang und klar und die Luft frisch ist!»

Schon der Blick, mit dem zunächst die Gattin antwortete, reizte den Bankier; er kannte diesen Blick, der deutlich sagte, daß ein ruhiges Gewissen diese Summen wert sei.

«Was sollen deine begabten Arbeiterkinder denn nun eigentlich lernen in der Waldschule? Kürbisse ernten? Kommoden bauen?»

«Alles, weißt du, alles!... Eine vollkommene Ausbildung der Fähigkeiten des Körpers und der Seele![28] Je nach der Begabung! ... Natürlich würden wir auch alles selbst anbauen.»

«Natürlich!»

«Gemüse und so.»

«Ja. Gemüse!... Nichts würde wachsen, glaube mir.» Und plötzlich zärtlich flüsternd: «Wenn es ein Junge ist, wird ausgebildet.»[29]

So langsam, daß ein kleiner Hund mühelos hätte mitlaufen können, kroch ein Zug, gefüllt mit neuen Kurgästen, auf der

---

27 Sandalenfräulein: [lit.] *young lady who wears sandals*. To the bourgeois banker, men teachers with long hair and women teachers who wear flat-heeled shoes and are interested in the dance and gymnastics are symbols of idealism and progress.

28 After the revolution of 1918 many new progressive schools devoted to a more harmonious development of mental and physical growth were started in Germany.

29 Wenn es ein Junge ist, wird ausgebildet: *If it is a boy, we'll go ahead with the school project.*

steilen Strecke bergwärts, vorüber an dem mit kreischenden Bremsen und Gegendampf sich so langsam talwärts bohrenden Zuge, daß der Agitator sah, wie im Speisewagen die Reisenden Semmel mit Butter bestrichen, weiße Kaffeetassen zum Munde hoben und der Kellner beide Arme breitete und die Schulter zuckte, bedauernd, das Gewünschte nicht servieren zu können.

«Ja, der Sozialismus ist meine Leidenschaft. Überhaupt alles, was mit Revolution zusammenhängt! Heute nicht weniger, als in meiner Jugend!»

«Weshalb eigentlich breiten Sie Ihren Zynismus gerade vor mir aus?» fragte gleichgültigen Tones der Agitator.

Der Staatsanwalt schüttelte den Kopf, als staune er. «Sie, der Sie ununterbrochen in Sozialismus, Hingabebereitschaft, Wahrhaftigkeit und ähnlichen schönen Dingen herumbuddeln, können es sich offenbar gar nicht vorstellen, wie wohltuend es für unsereinen ist, auch einmal die Wahrheit zu sagen.»

«Jedenfalls unterscheiden Sie sich von den Angehörigen Ihrer Kreise sehr erfreulich dadurch, daß Sie sich Ihrer Gesinnungslumperei bewußt sind.»

«Höflich sind Sie nicht. Und ein Zyniker scheinen auch Sie zu sein. Wenigstens habe ich bei Ihnen bis jetzt noch keine moralische Entrüstung über meine Gesinnungslumperei, aber in manchen Ihrer Worte einen handfesten Zynismus bemerkt.»

«Der Zynismus liegt in der Sache und nicht in den Worten, welche die Sache bezeichnen.»

Der Staatsanwalt hatte etwas von seiner Haltung verloren. Seine Ruhe war weg. Die Stirn rot. Das sah ungesund aus. Der Staatsanwalt schwebte.[30] Wie der Jüngling, der seine Schlangensammlung sortiert.

«Haben die Herrschaften bei der Herauffahrt,» begann im Nebenabteil der Bankier, «den berühmten Viadukt bewundert?»

---

30 schwebte: [lit.] *hovered, floated;* [here] *was uplifted.* The district attorney had gone back to the dreams of his youth.

«Großartige Sache!» sagte sofort der Reisende. «Und das Panorama – prachtvoll!»

«Ja, das Panorama erinnert mich direkt an die religiösen Bilder der alten Meister.»

Und da der Geistliche, angenehm berührt, freundlich fragend den Bankier anblickte:

«In ungefähr einer Stunde werden wir den Viadukt passieren. Sie sollten ihm wirklich Ihre Aufmerksamkeit schenken. . . . Stellen Sie sich vor: ein Hochgebirgstal, gebildet von heroisch aufsteigenden, schneebedeckten, hehren Bergriesen; nach allen Seiten hin bis in weite Fernen: romantisch zerklüftete Gebirgsketten, und in der Mitte dieses gewaltigen, schroffen, ich muß schon sagen: unwirtlichen Tales – ein geradezu lieblicher, grüner Hügel in spitzzulaufender Kegelform, idyllisch direkt, eben wie auf den alten religiösen Bildern.»

«Wirklich nicht notwendig, glauben Sie mir,» rief lächelnd der Staatsanwalt dem Spitzel zu, der, in der Hand seinen Stenogrammblock, in Hörnähe gestanden und durch einen Rückstoß des Zuges plötzlich sichtbar geworden war.

«Genau so ist es! Sie schildern das sehr gut,» sagte der Chefredakteur und nahm aus seinem Koffer eine Flasche Wein und den Korkenzieher, blickte fragend den Spitzel an, der sein Ohr jetzt in dieses Abteil streckte.

«Er war nur zu meiner persönlichen Sicherheit mit im Kurort. Aber er kann nicht anders. Einen gewissenhafteren Menschen traf ich im Leben nicht.» Der Staatsanwalt zog einige Notizblätter aus seiner Aktenmappe. «Wollen Sie den genauen Wortlaut der Rede lesen, die Sie heute mittag im Sägewerk gehalten haben? Was er hinzudichtete, habe ich eingeklammert. ‹Die Kapitalisten müssen mit Feuer und Schwert, Gift und Dolch ausgerottet werden. Jeder einzelne an die Laterne!›[31] Das haben Sie doch sicher nicht gesagt.»

---

[31] Revolutionary slogan: *Every single capitalist ought to be hanged on the next lamp post.*

«Vielleicht doch! Wer weiß es!»

«Diesen Hügel oder Kegel nun haben unsere Ingenieure genialerweise als Basis für die Eisenpfeiler des Viadukts benutzt. Das Gleis ist frei durch die Luft über den Abgrund gespannt, in riesiger Höhe hinüber zu der Kegelspitze. Sie werden sehen: wir fahren in einem ganz engen Kreise – in Wirklichkeit ist es eine Spirale – um die kleine, grüne Kegelkuppe herum, so daß, da wir im letzten Wagen sitzen und der Zug zufällig sehr lang ist, wir die Lokomotive unseres eigenen Zuges auf uns zukommen sehen. Die Lokomotive unseres eigenen Zuges! Wunderbar, wie?»

Der Chefredakteur sagte in einem Tone, als hätte er das selbe schon geschrieben: «Amerikanische Ingenieure kamen extra herüber zu uns, um dieses Meisterwerk deutscher Bahnbaukunst zu studieren.» Und drehte dabei den Korkenzieher ein.

«Weshalb denn?» fragte der Bankier, als seine Frau ihre schweren Brillantringe – zwei von jeder Hand – herunterzog.

«Nimm sie zu dir.» Sie zeigte das ihm schon bekannte vorweggenommene mütterliche Lächeln.

Der Bankier hatte derartige Handlungen, wenn sie in irgendwelchem unergründlichem Zusammenhang mit dem Kommen des Kindes gewesen waren, stets widerspruchslos hingenommen.

Unter dem Schweigen der Mitreisenden legte er die Ringe sorgsam in den kleinen schweinsledernen Schmuckkoffer, in dem mehrere kostbare Anhänger, ein Brillantkollier und eine lange, in viele Windungen gelegte Kette großer Perlen auf weißer Seide lagen, und schilderte dabei:

«Fünfhundertzwanzig Meter über der Talsohle befinden wir uns, wenn wir den Viadukt passieren. Man fährt sozusagen durch die Luft. Die Wände dieses Tales sind derartig schroff, aber derartig schroff, daß möglicherweise einmal eine Gemse, aber noch nie ein Mensch bis zur Talsohle hinuntergekommen ist. Man kann alles sehr gut betrachten; denn der Kreis, respektive die Spirale, ist so eng, daß der Zug, damit er nicht aus den Schienen herausspringt und in die Tiefe stürzt...»

«Fünfhundertzwanzig Meter – ich danke!»

«... ganz ungewöhnlich langsam fahren muß.»

Schließlich sah der Geistliche etwas beklommen drein. Alle schwiegen. Alle sahen den in die Luft hineingebauten, Abgrund überquerenden Viadukt, ließen den Zug auf der engen Gleisspirale ganz, ganz langsam um die Spitze des kegelförmigen Hügels herumfahren.[32]

Das kurz vorher genossene reichhaltige Diner und der gleichmäßige Takt des Zuges schläferten die Reisenden ein.

Der entlassene Holzarbeiter reparierte unterdessen das breite Fenster im Laufgang, das halb offen stand und, wie der Schaffner erklärt hatte, von dem Tage an nicht mehr funktioniert habe, da der Wagen frisch auflackiert worden sei.

IV

AN DER RÜCKWAND LEHNTE EIN HERR. ER HATTE WÄHREND DER ganzen Fahrt Zahlen in sein Notizbuch geschrieben, dann eine Anzahl großer Geldscheine und eine sehr große Anzahl kleiner Geldscheine gezählt und die Endsumme mit der errechneten Summe im Notizbuch verglichen.

Plötzlich riß er die Augen auf und die Wagentür und sprang hinaus, kollerte den hohen Bahndamm hinab. Und stand und starrte dem letzten Wagen nach, der sich vom Zuge getrennt hatte und in mäßigem Tempo durch die zackige Landschaft rollte.

Die Strecke war an dieser Stelle wagrecht, stieg eher etwas an, so daß die Entfernung zwischen dem abgehängten letzten Wagen und dem Zuge schnell größer wurde.

Der Zug zog davon. Und verschwand hinter dem vorgelagerten Bergfuße.

---

[32] The passengers mentally pictured the pending dangerous ride over the viaduct.

Der Weichenwärter stellte, als der Zug das Wärterhäuschen passiert hatte und mit nun schreienden Bremsen auf starker Senkung sich langsam hinabbohrte in das große Haupttal, gemächlich die Weiche um für den nächsten mit Stammholz beladenen Güterzug.

Von hier aus wurden die Holzzüge auf einem Zahnradgleis durch das sehr schmale, zerklüftete Seitental zu dem am Auslaufe des Gebirges liegenden Hauptsägewerk geleitet.

Der Weichenwärter pfiff seinem Hunde und schritt der Bahnhütte zu, prüfte die Festigkeit der zehn kümmerlichen Rotkrautköpfe im Vorgärtchen, das mit nur kniehohen Stäbchen spielerisch eingezäunt war. Und schnellte empor und herum.

Er sah gerade noch, wie ein in der Sonne glänzender, frisch auflackierter Zweite-Klasse-Wagen langsam die Weiche passierte und, bewegt durch das Eigengewicht, in plötzlich und rapid sich steigerndem Tempo in das steilabfallende Seitental hineinschoß.

Stieß einen Schrei des Entsetzens aus. Der Hund bellte. Der Wagen war verschwunden.

Der entlassene Holzarbeiter, der durch das Türfenster in der Rückwand nach dem Hinausgesprungenen erfolglos ausgeschaut und in dieser selben Sekunde sich erinnert hatte, daß er einmal als Knabe sehr gern die Notbremse gezogen hätte, die zu berühren ihm vom Vater damals immer wieder verboten worden war, durchschnitt – Füße noch bei der Eingangstür, Hände schon beim Fenster – mit einer Vehemenz ohnegleichen, als habe der Vater nach dreißig Jahren endlich das Ziehen der Notbremse erlaubt, plötzlich das Abteil. Die Reisenden fuhren aus dem Schlummer.

Die Rechte zur Notbremse hochgestreckt, die Linke um die Kante des offenen Fensters geklammert, riß er durch die Mischung von Schreck und Ablehnung seinen Körper durch,[33] zu sich vor.[34]

---

33 riß ... seinen Körper durch: *pulled his body through the compartment*

34 zu sich vor: *forward to himself;* i. e., in the direction of his head, which was already near the window

Mußte dabei den Kopf durch das Fenster strecken und sah, daß der Wagen sich abgehängt hatte.

Der Korpsstudent trat in den Türrahmen. «Der Herr da draußen ist aus dem Zuge gesprungen.»

Ohne sich auch nur den Bruchteil einer Sekunde zu besinnen, sagte der Kurzwarenreisende: «Wenns ihm Vergnügen macht – seine Sache! Außerdem war das ein Konkurrent von mir.»

Witz und Fixigkeit verursachten bei allen Mitreisenden Heiterkeit. In der wohlerwogenen und mit Bedacht stets befolgten Erkenntnis, daß dem Zustande einer Hochschwangeren nichts dienlicher sei, als Heiterkeit des Gemütes, forderte der Bankier mit einem Lächeln auch seine Frau liebevoll zur Heiterkeit auf, so daß auch sie ein kurzes, schwaches Lächeln zeigte, das, kaum entstanden, gleich wieder zerbrach und noch eine Weile zerbrochen im Mundbezirk lag.

Der Universitätsprofessor, der, Arme gekreuzt, tief in der Ecke lag, zeigte, daß er sogar über einen etwas banalen Witz zu lächeln vermochte.

Der Offizier war, gleich einem Uniformständer mit Augen, Mund und Stirn, nichts als Haltung, auf der das starre Lächeln klebte.

«Der holt die Verspätung ein. Fährt ja wie der Teufel in eine hübsche Nonne, was!»

Der Geistliche zog die Reisedecke höher, lehnte sich bequemer in die Polster zurück und sagte mild und teilnahmsvoll: «Möge Gott ihn behütet haben! Warum ist dieser Herr denn wohl nur hinausgesprungen?»

Das Gesicht des Arbeiters hatte die Farbe verloren. Er wandte sich ganz langsam um. Fassungslosigkeit verschlug ihm das Wort.[35]

«Dieses zweifelhafte Individuum hat nur fortwährend Geld

---

35 verschlug ihm das Wort: [id.] *rendered him speechless.*

gezählt,» sagte ablehnend der Student. «Bei solchen Leuten weiß man ja nie, weshalb sie hinausspringen.»

Schnellen Blickes vergewisserte sich der Bankier, daß das kostbare Schmuckkofferchen noch auf dem Klapptische[36] stand.

Die Augen des Arbeiters starrten gläsern. Der kleine, staubige Schnurrbart zitterte. Die weißen Lippen sagten: «Wir sind abgehängt.»

Der Blitz dieser Tatsache schlug nicht sofort ein. Der Kurzwarenreisende, noch ungehalten und schon zutiefst betroffen, wie aus der Ferne vom Tode berührt, rief schroff: «Was abgehängt!»

Der Wagen huschte auf dem steilen Zahnradgleis zerstörerisch knallend talwärts.

«Da ist . . . da . . . da ist nichts mehr zu machen.[37] Da ist . . . ist nichts zu machen. Da ist alles aus.»

Seitwärts gedreht und so langsam, als habe er in seinem Leben nie soviel Zeit gehabt, schob er sich durch zur Tür. «Was denn! Ist denn da was zu machen?»

Jetzt erst drehte der Universitätsprofessor den Kopf. «Es ist etwas passiert?»

Von außen und aus der Ferne gesehen: die Hochgebirgslandschaft in gewaltigen Ausmaßen – und auf dem in steiler Senkung talwärts fallenden Zahnrad-Schienenstrang ein dunkles, winziges, winziges Etwas, das nicht rollte, nicht fuhr und nicht sauste, das durchs Gebirg in die Tiefe stürzte.

«Da gibts überhaupt kein Mittel, den Wagen zum Stehen zu bringen,» sagte der Arbeiter noch in das Abteil hinein. «Auf der ganzen Welt gibts da kein Mittel.» Und trat, weißlippig und stockenden Herzens, in den Laufgang. «Das ist unser aller Tod.»

---

36 A little folding table is attached to the wall below the window in each compartment of a German express train.

37 Da ist nichts [mehr] zu machen: *This is the end.*

«Was ist denn passiert? Ist denn etwas passiert? Etwas passiert?» Der Universitätsprofessor hatte sich vom Polster erhoben.

Der Geistliche, noch ungläubig: «Man sagt, wir seien abgehängt.»

Der Bankier, auch in dieser Sekunde noch lebensweit davon entfernt,[38] sich das tödliche Ereignis einzugestehen, und doch schon weißgesichtig, begann erzürnt: «Da sollte aber doch die Eisenbahnverwaltung ... !»

Das Offiziersgesicht und das des Kurzwarenreisenden – beide hatten gleichzeitig hinausgesehen – erschienen wieder. Farblos. Weiß.

Die Wirklichkeit schlug ein. Alle standen. Wortlos. Der Reisende stürzte, blind nach Rettung suchend, wortlos in den Laufgang.

Eine Kurve: Der rasende Wagen sprang meterhoch von den Schienen – die Stehenden, übereinanderstürzend, wurden auf die Polster gemäht, – knallte im vielfachen Angstschrei auf die Schienen zurück.

Kam eine nur etwas schärfere Kurve, mußte der Wagen von den Schienen fliegen – ein Stück wagrecht durch die Luft – und zerschellen wie ein Geschoß.

Sechs Augenpaare aus Glas.

Nur die Schwangere schob dem entsetzlichen Ereignis weiche Blicke entgegen, und diesen weichen Blicken immer neue drückende, weiche Blicke nach,[39] in die das Ereignis sich einbrannte, so daß das Kind, würde es noch geboren werden, zur Welt käme mit einem Eisenbahnunfall auf der Haut.

Auch der Universitätsprofessor sah völlig verändert aus. Das war kein Universitätsprofessor mehr. Klemmer, Reisemütze, schottische Reisedecke lagen am Boden. Das Gesicht war kleiner

---

38 noch lebensweit davon entfernt: *as far as life is removed from death, so far was he from* ...

39 [Sie] schob dem entsetzlichen Ereignis weiche Blicke entgegen, und diesen weichen Blicken immer neue ... Blicke nach: *[She] met the terrible occurrence with soft glances and continued to do so, with glances in which* ...

geworden, eckig. An die Unabwendbarkeit des Todes glaubte er noch nicht.

Alle glaubten noch nicht. Der Bankier fragte: «Keine Angst, du? Wir brauchen keine Angst zu haben?»

Welcher Mensch glaubte, in welcher Todessituation immer er sich befände,[40] nicht bis zur letzten Sekunde an das Leben?

Gebrüllte Ratschläge, von den Ratgebern selbst nicht geglaubt. Der Wagen müsse zum Stehen gebracht werden. Sie müßten hinausspringen.

Nicht einmal hinausblicken konnten sie mehr. Die Schnelligkeit zerriß das Gehirn.

Kurzer, scharfer Knall und schwarzer Blitz – sekündlich wieder Himmel: Der rasende Wagen hatte den Tunnel passiert.

Der Offizier, ein mutiger Mann, der im Kriege entschlossen sein Leben eingesetzt hatte, immer in der Hoffnung, mit dem Leben davonzukommen, hatte die Haltung noch nicht verloren, suchte nach einer Möglichkeit einzugreifen. Suchte, alle Muskeln überspannt, Stirnadern geschwollen, nach der Möglichkeit, die es nicht gab. Es gab keinen Feind, der durch Entschlossenheit, Gewalt oder Mut zu besiegen gewesen wäre.

Die Schwangere beugte das Gesicht in die Hände. Langsam schwoll der Schrei – niemand kümmerte sich darum, – quoll durch die Finger durch, schwoll an zu schärfstem Kirren und schlug um ins Rauhe: Die Schwangere hatte ihr Leben und das Leben ihres Kindes verlorengegeben.

Nahm die Hände weg vom Gesicht, das nicht starr war. Wimmernd klagte sie ihr volles und das noch ungelebte Leben aus sich heraus.

Das lenkte die Aufmerksamkeit des Bankiers und der anderen nicht eine Sekunde lang auf die Schwangere. Denn in dieser Sekunde würde den Abgelenkten, den nicht Sprungbereiten, vielleicht die Zerschmetterung treffen. Es mußte doch noch

---

40 in welcher Todessituation immer er sich befände: *even in the most fatal situation*

eine Rettungsmöglichkeit geben. Der Tod war doch unmöglich.

Eine Achse, die sich aufgerieben und heißgelaufen hatte, pfiff. Die Pausen zwischen den Pfiffen waren immer kürzer geworden, blieben ganz aus: Ein alle Geräusche durchdringendes, übertönendes, rauchendes Pfeifen, gleich einem in seine letzte Höhe hinaufgetriebenen Menschenschrei, begleitete den Absturz.

Dunkle Schienenschläge, daß der Wagen krachte und hochsprang.

Der Universitätsprofessor griff mit beiden Händen immer wieder an die Schläfen; er fühlte das Grauen kalt in den Schläfenhaaren; er log vor Todesangst die Todesangst fort,[41] betrat seine Wohnung im Villenviertel, das anheimelnde Arbeitszimmer, setzte sich in den Schreibsessel: Der Lampenschirm leuchtete grün auf.

Ohnmächtige Sehnsucht nach dem Leben ließ den Bankier bei der Talstation aus dem pünktlich einfahrenden Zuge aussteigen.

Der alte Geistliche lebte zeitweise nicht mehr, hatte zeitweise ein lebloses Gesicht. Zwischendurch riß der Lebenswille ihn wieder hoch in das Entsetzen.

Bei der Tür stand der Korpsstudent und glotzte mit glanzlosen Augen fragend auf die, welche die Älteren waren und besser wissen würden als er, was zu geschehen habe zu seiner Rettung. Er bekam keine Antwort.

Geifer rann aus dem Munde des Chefredakteurs.

Durch das verebbende Klagen der Schwangeren durch stürzte der Kurzwarenreisende zum Fenster, aufenthaltslos zurück in den Laufgang und sofort in das Nebenabteil. Von Abteil zu Abteil. Von der Stirnwand zur Rückwand. Hin, her. Es gab keinen Ausgang.

Hinein in das Abteil, wo Staatsanwalt, Agitator und Spitzel

---

[41] er log vor Todesangst die Todesangst fort: [lit.] *he lied away his fear of death because of his fear of death;* i.e., his fear of death made him pretend that he was not afraid.

standen, ans Gepäcknetz und aneinander geklammert, hin- und hergeschleudert.

Das Gesicht der Schwangeren war grün geworden. Die Wehen hatten begonnen.

Auf ihrer Schulter lag noch von früher die Hand, die sich vom Arme des Bankiers getrennt zu haben, losgelöst und selbständig auf der Frauenschulter zu liegen schien; denn der Bankier glotzte auf die Talstation, wo der Zug eben und immer wieder eben ordnungsgemäß einlief.[42]

Die Waldschule für Arbeiterkinder werde er finanzieren. Das war ein Gelübde.

Jeder tat sein Gelübde. Jeder hatte sein Gelübde schon getan und wiederholt und vergrößert.

Der Arbeiter hatte zeitlebens gearbeitet, um essen, und gegessen, um arbeiten zu können.

Die Mutter bleicht für die Herrschaft Wäsche auf dem Rasen. Die Herrschaftsköchin schenkt dem fünfjährigen Söhnchen der Wäscherin, das dabei hockt, ein Stück frisches weißes Brot, dick mit Butter bestrichen. Immer wieder taucht dieses schönste Kindheitserlebnis auf: Wäsche weiß, Brot weiß, Butter weiß, Sonne scheint. Immer wieder. Und verfliegt. Schneller noch, als der Wagen talwärts stürzt.

Flog etwas nach rückwärts: Das war ein Bahnhof? Almhütte? eine Station? gewesen.

Grüne Matten, Felsen. Weißer Wasserfall. Ein Gießbach. Mit noch verstärktem Knallen über eine kleine Eisenbrücke. Wald. Noch eine Brücke. Grüne Matten. Gelb: Gruppe weidender Kühe gewesen.

Dem Tempo eines Zuges kann jede Melodie untergelegt werden; für das Tempo dieses Geschosses gab es keine Schienen-

---

42 During the seconds of shock and fear of death each passenger thinks only of himself. The banker has forgotten his wife's condition and visualizes the train arriving as usual at the station; the worker suddenly recalls a childhood experience.

verbindungen, die den Grundtakt für ein Lied hätten bieten können.

Die Landschaft krachte.

Niemand mehr war in den Abteilen. Alle im Laufgang. Rannten schreiend umher. Suchten die Rettung. Nur die schmerzdurchtobte Schwangere saß, verlassen und stöhnend, halb liegend auf der Bank.

Der Arbeiter horchte noch. Er horchte auf das kreischende, rauchende Pfeifen. Dachte noch. Er dachte: der Wagen muß jeden Augenblick zu brennen beginnen. Lichterloh brennen!

Da griff der Tod in den rasenden Wagen und erdrückte die Hoffnung, die noch so groß wie das Leben und schon so winzig wie ein Staubteilchen gewesen war: Der Bankier hatte mit dem innern Blick den Viadukt gesehen.

Seine Lippen formten noch: «Der Viadukt.» Brüllten: «Der Viadukt! Der Viadukt!» Er fiel auf Knie und Hände, krabbelte auf allen Vieren, stieß heisere Tierschreie aus.

Alle erblickten in einem blauen Blitze, der jede Hoffnung erschlug, den in die Luft hineingebauten Viadukt, fünfhundertzwanzig Meter über der Talsohle, den tödlich engen Kreis, aus dem der rasende Wagen herausspringen mußte. Mußte!

«Der Viadukt. Viadukt!»

«Viadukt?»

Das waren die letzten Laute menschlicher Sprache, überbrüllt schon von den Schreien der Todesfurcht, für die es in keiner Sprache Worte gibt.

Die allerletzten Reste der Lebensmasken, Masken, die im Laufe des Lebens schon wieder zu Gesichtern geworden waren, fielen ab, verschwanden: Das Urgesicht erschien.

Alle preßten sich, zurückweichend vor dem Viadukt, übereinandertaumelnd, wild gegeneinander kämpfend und in Todesfurcht brüllend, an die Rückwand des Wagens, um acht Meter weiter entfernt zu sein von dem Todessturze.

Auch der Offizier. Auch für ihn gab es angesichts des unabwendbar sicheren Todes Mut nicht mehr. Seine Schläfen wurden kühl, stiegen empor über die Schädeldecke.[43]

Eine goldene Uhr mit zerrissener Kette und der Stenogrammblock des Spitzels lagen nebeneinander im Laufgang. Des Universitätsprofessors schottische Mütze lehnte gegen die Fensterwand.

Glaube, Gott, Jesus und die Mutter Gottes, deren Allmacht vom Geistlichen vierzig Jahre lang verkündet worden waren, gab es nicht mehr: Die Kirche stürzte lautlos ein.

«Heilige Maria, Mutter Gottes, bitt' für uns arme Sünder, jetzt und in der Stunde unseres Absterbens, Amen,» betete kniend der gläubige Bauer.

Die Gebärende war von der Bank herabgestürzt. Ihre gellenden Schreie übertönten den Tumult. Sie hatte keinen Mann mehr.

Einige Male hatte der Arbeiter, der, Hände um die Kante des reparierten Fensters geklammert, sprungbereit in halber Kniebeuge stand, bemerkt, daß neben ihm das Leben um ein Leben rang.

Und als er noch einmal herum- und halb in das Abteil geschleudert wurde, tat er, aus der selben Gefühlseinfachheit heraus, die ihn veranlaßt hatte, das Fenster zu reparieren, wieder das Nächstliegende.

Kniete hin und griff zu. Und zerrte mit der Rechten das Kind ans Licht.

Vorbei an dem im Türrahmen halb liegenden Agitator, der beide Fäuste in die Augenhöhlen preßte, erstarrt vor Entsetzen über diesen sinnlosen Tod, torkelte der Staatsanwalt, mit Wucht hin- und hergeschleudert zwischen Fensterwand und Gegenwand, zu den Angepreßten.

Der Universitätsprofessor lag auf dem Bauche, Mund am Boden, gestoßen vom Schreikrampf.

---

43 Seine Schläfen . . . stiegen empor über die Schädeldecke: *His temples seemed to rise.*

Auf ihn herunter zog ein langer, schaukelnder Speichelfaden aus den weit in die Wangen zurückgezerrten Mundwinkeln des Chefredakteurs, dessen verglaste Augen, wie aller Augen, der Zerschmetterung entgegenglotzten.

Wahnsinnig wurde der Karussellbesitzer, dessen Karussell sich gegenwärtig in einem abgelegenen Bergdorf drehte. Rannte heraus aus dem vordersten Abteil, Laufgang durch, riß die Tür bei der Rückwand auf und sprang hinaus. Flog hinaus.

Alle Angepreßten sahen, wie der Körper des Karussellbesitzers sich beim Schultergelenk vom Arme trennte, wegsauste. Erst dann, erst eine halbe Sekunde später, ließ die Hand den Türgriff los, und der Arm flog in großem Bogen in den frischgepflügten Acker, fuhr hinein und stand senkrecht, die gekrallten Finger gen Himmel gestreckt.

Die Tür, durch den Luftdruck angeschmiedet an die Außenwand, blieb geöffnet.

Grün, dunkel, sonnig, dunkel, himmelblau.

Ein Sperling, der dieses bisher nie erlebte Tempo beim Überfliegen des Gleises außer acht gelassen hatte,[44] sauste durch den Türausschnitt herein, klatschte gegen die Füllung und tot auf den Boden.

Die Körper drängten von dem gefährlich saugenden Türausschnitt weg, kämpften, Zähne gefletscht, zischend mit Fäusten und Füßen um den sichersten Platz, stürzten im Kampfe übereinander, auf Knie und Hände.

Sie erhoben sich nicht mehr in Menschenstellung.

Auf der Bank die Mutter, in den Händen das stille Kind, das die Lippen und die blutigen Fingerchen bewegte. In rasendem Tempo durch die Landschaft getragen. Kniete neben dem Schmuckköfferchen, den verstreut umherliegenden Brillantringen und der Perlenkette der Arbeiter im Blut. Und die Mutter schämte sich nicht. Denn im Angesichte des Todes und des Lebens schämt der Mensch sich nicht.

---

44 außer acht gelassen hatte: *had not noticed*

Plötzlich erkannte der Agitator in dem in heller Ferne sichtbar werdenden schwarzen Bleistiftstrich, der sich in wenigen Sekunden zu einem wagrecht liegenden, langsam sich bewegenden Spazierstocke vergrößerte, einen Eisenbahnzug: den mit Stammholz beladenen Güterzug, der vor Abgang des Personenzuges aus der Kurortstation abgelassen worden war.

Der Staatsanwalt, den ein rätselhaftes Gefühl verhindert hatte, sich an dem Kampfe um den besten Platz zu beteiligen, blickte, als habe er während des Versinkens in die Todesfurcht plötzlich einen Halt in sich gefunden, in die Vergangenheit zurück und riß, verklärten Gesichtes,[45] den Jüngling, den er sah, leibhaftig sah, an die Brust und hielt ihn fest an sich gepreßt, bis der Jüngling ganz eingegangen war in den Vierunddreißigjährigen und er ihn in sich trug als Talisman auf Lebenszeit.

Als gäbe es eine Seligkeit, die selbst von der Gewißheit des sicheren Todes nicht beschattet werden könnte, blickte die Entbundene den Arbeiter an.

Plötzlich hielt sie ein sonderbares Musikinstrument in Händen. Es wird finster. Nie vernommene, leise, wunderbare Musik ertönt: Der Tod – ein kleines Männchen in langem Gewande – tritt ein, schnell und lautlos in die Zimmermitte. «Der Tod?» Dann fiel, wie auf der Bühne, der Vorhang. Die Entbundene war bewußtlos geworden.

Das Gehirn des Agitators arbeitete wieder: «Wenn der Zug schneller fahren, wenn er fliegen würde! ... Wenn der Lokomotivführer nicht Volldampf gibt, zerschellen wir.» Und er brüllte durch das offene Türfenster in der Stirnwand.

Plötzlich endete jedes Geräusch. Das Pfeifen der heißgelaufenen Achse endete. Der Wagen schwebte, sauste durch die Luft, lautlos. Totenstille. In die hinein die Todesschreie tönten. Schwebte noch immer. Schon leblose Menschenaugen glotzten auf den blutigen Brei aus Holz, Glieder, Eisen, Knochen, Fleisch.[46]

---

45 verklärten Gesichtes: *with a radiant face*

46 The passengers anticipated the inevitable crash.

Der Wagen knallte noch einmal wieder auf die Schienen zurück.

«Heilige Maria, Mutter Gottes, bitt' für uns arme Sünder, jetzt und in der Stunde unseres Absterbens, Amen.»

Und der Agitator brüllte wieder durch das offene Stirnfenster. Die Brülltöne prallten gegen die Luftwand, wurden zurückgeschlagen in den Wagen.

Der Lokomotivführer hörte nicht. Alle Bremsen des Holzzuges knirschten. Die Tabakspfeife im Munde, die nackten Unterarme gemächlich auf die eiserne Seitentür gestützt, betrachtete er die vorüberziehende Landschaft.

Das Gleis sauste blitzschnell in den Wagen hinein. Zu beiden Seiten torkelten Felsvorsprünge, Telegraphenstangen, Bäume, Schuppen schiefkrachend übereinander nach rückwärts. Selbst die fernsten Gebirgsketten bewegten sich. Sichtbar drehte das Gebirge sich langsam um das winzige Geschoß herum.

Erst als der Lokomotivführer sich aufrichtete, sah er den heransausenden-schießenden Wagen. Noch halbkilometerweit entfernt.

Da gab es nichts zu überlegen: die Nebenlinie war nur eingleisig. Bremsen auf.[47] Volldampf.

Dennoch verringerte sich in den nächsten Sekunden die Entfernung zwischen Geschoß und Zug rapid; aber die Senkung war steil und der Holzzug um eine Großzahl schwerer[48] als der Wagen.

So war noch nie ein Zug zu Tal geflogen.

Nach einer unermeßlich langen halben Minute lagen, ein paar Wagenlängen voneinander entfernt, beide Geschosse im gleichen Tempo.

Unhörbar schlichen die Bremsen an die Räder des fliegenden Zuges heran, unmerkbar vorsichtig, wie die Hand des Taschendiebes. Dauerte lange, ehe das Zischen begann. Ganz allmählich lauter werdendes, endlich alle Zuggeräusche über-

---

47 Bremsen auf: *Release the brakes.*   48 um eine Großzahl schwerer: *a great deal heavier*

schreiendes, ohrenbetäubendes und zuletzt das ganze Tal erfüllendes Knirschen: Der Zug hielt.

V

STILLE. IN DIE HINEIN EIN SPECHT HÄMMERTE. DAS NEUGEBORENE schrie nicht mehr. War in seinem Geschrei eingeschlafen. Es lag, beide Beinchen angezogen, zwischen Polsterlehne und der noch bewußtlosen Mutter.

So weich hatten Puffer zu Puffer gefunden,[49] im rasenden Tempo, daß die bei der Rückwand auf Händen und Knien Liegenden das blutige Ereignis noch erwarteten, als sie schon gerettet gewesen waren.

Die betäubten Sinne vernahmen Stille und Leben nicht, reproduzierten weiter das zerstörerische Knallen und Pfeifen, gleich dem Hochgebirge, das durch tausend und abertausend in sich selbst gefangener Echos von Ewigkeit her tönt.

Zehn Meter entfernt lag auf der Weide eine wiederkäuende Kuh, die blickte.

Das Lispeln der Gräser, Rieseln und Rauschen fernster Bäche und Fälle,[50] zusammen mit dem Summen der Myriaden Mücken, von den vibrierenden Membranen der Felswände und Schluchten aufgefangen und weitergegeben, wieder empfangen und weitergegeben, hin über das luftbebende Tal, ergab das große Tönen, die große lebende Stille des Hochgebirges, in der das melodische Zwitschern eines Vogels als einziger naher Laut des Lebens stand.

Die Kuh sauste nicht nach rückwärts; sie lag still. Das war kein Traum. Die Kuh war Wirklichkeit, war das Leben. Auch der Vogel zwitscherte wieder.

Die dem Tode Entronnenen kehrten schreckbetäubt in das

---

49 So weich hatten Puffer zu Puffer gefunden: i.e., *so softly had the buffer of the last car of the train touched the buffer of the detached car, that* . . .

50 Bäche und Fälle: *brooks and waterfalls*

Leben zurück. Auch Gefühl in den Gliedern kehrte wieder. War Schmerz- und Lustgefühl zugleich. Die schweren Glieder gehorchten nicht.

Die haltlosen Körper rutschten über die Trittbretter herunter. Sie saßen und lagen: ein dunkles Häufchen im Felde.

Die Geretteten, entronnen einem Übermaße erlittener Todesangst, nun atmend wieder im Übermaße des Seins, das in verwirrender Millionenfältigkeit mit ungeheurer Gewalt zu unvermittelt auf sie einstürmte, konnten Felder, Sonne, Himmel, Technik, Grün und Tier, das Leben, das zu begreifen der Mensch ein Leben zur Verfügung hat, so plötzlich nicht begreifen.

Auch der Agitator hatte sich ins Gras sinken lassen. Im Abteil saß allein der Staatsanwalt in unbegreiflicher Verklärung.

Entlang dem schwarzen Zuge, auf dem, vom Tender bis zum letzten Wagen, entrindete, besonnte Tannenstämme lagen, schritt langsam der kleine, rundliche Lokomotivführer in der Haltung eines für die Umwelt augenblicklich nicht interessierten Menschen, der unter Aufbietung seiner ganzen Energie ein schweres Stück Arbeit soeben beendet hat, und wischte, Blick zu Boden gerichtet, mit einem roten Taschentuch das schweißglühende Gesicht.

Das atemlose, in sich erstickende Schreien des Kindes ertönte. Die Entbundene erwachte aus der Ohnmacht. Die Augen fragten. Die tastende Hand fand den Körper des Kindes. Sie schloß die Lider wieder.

Der Bankier hatte lauschend den Kopf gedreht. Da sah er mit dem inneren Blick seine Frau und wandte den Blick sofort wieder ab. Seine Oberarme wurden heiß. Das tat wohl. Auch im Rückenwirbel empfand er wohltuende, prickelnde Hitze, wie nach einer kalten Dusche.

Bereitwillig stützte er den kraftlosen Geistlichen, der sich ohne Hilfe nicht erheben konnte von der Wiese, und empfand dabei zergehende Weichheit in der Brust.

«Die Kuppelung ist unversehrt.... Wahrscheinlich hat er vergessen, die Sicherungen einzuhaken,» sagte der Lokomotivführer, der gebückt zwischen den Puffern stand, und hakte die Sicherungen ein, forderte zum Einsteigen auf.

«Na, ich sage nichts,» sagte der Kurzwarenreisende. Und hatte damit als erster die Sprache wiedergefunden.

Der Offizier zeigte die Handfläche: «Bitte, nach Ihnen.»

Die Gehirne funktionierten wieder. Die Knie zitterten noch. Alle halfen einander beim Einsteigen. Der Korpsstudent blickte, als dächte er: Die müssen es wissen, und folgte als letzter.

Der Bankier streckte ihm noch die Hand heraus und rief scherzhaft: «Hopp!»[51] Seine lächelnden Lippen bebten.

Der Lokomotivführer wischte mit dem Tuch rund um den Hals, während er vorschritt zur Maschine. Dort hockte der Arbeiter im Gras, Kopf in die Rechte gestützt. Blicke auf die öltriefenden Räder. Der Kessel schwitzte.

«Wir machen jetzt weiter.[52] Steig auf. Kannst das Stück bei mir mitfahren.»

Der Arbeiter hob fragend den Kopf, als wisse er nicht, wo er sich befinde.

Der Lohnbauer schritt schon, Sense geschultert, bergwärts querfeldein, der Wiese des Rittergutsbesitzers zu, die im Hauptthale und höher lag und von ihm, zusammen mit noch zehn Lohnbauern und Landarbeitern, diesen Nachmittag und im Laufe der zu erwartenden kühlen Mondnacht gemäht werden sollte. Seine eingefallenen Lippen bewegten sich. Die linke Hand zählte an den Fingern der rechten. Er berechnete den Lohnausfall.

Kam hinzu die Hoffnung auf das Kind.... Unser Kind!... Wir waren einander so nahe gewesen. So nahe! dachte der Bankier. ‹Und jetzt?... Jetzt.... Nur weil dieser betrunkene Mensch die Sicherungen nicht eingehakt hat!›[53]

---

51 Hopp!: *Hop!; come on!; get in!*
52 Wir machen jetzt weiter: *We'll be leaving now.*
53 These are the thoughts and reflections of the banker.

Und als er endlich hineintrat in das Abteil wo die Frau lag, das Kind in den blutverschmierten Händen, sagte er tröstend: «Jetzt ist es vorüber. Hast dich so davor gefürchtet. Jetzt ist alles vorbei: Das Kindchen ist da.»

Sie schloß die Lider – ihre Hand bewegte sich am Kinde, – öffnete sie wieder. ‹Ist nichts geschehen? Hat sich nicht etwas ereignet, etwas Entscheidendes, das von dir zugegeben werden muß, wenn unser ganzes ferneres Leben von dieser Sekunde an nicht eine einzige ununterbrochene Lüge sein soll?› fragte mit dem Blick die Geschwächte.

Er breitete die Reisedecke sorgsam und liebevoll über ihre Knie, las, auf den Zehenspitzen gehend, die Schmuckstücke auf, schloß das Schweinslederköfferchen.

‹War aber unser Leben bis vor der Abfahrt nicht auch eine einzige, ununterbrochene Lüge gewesen, da dies sich ereignen konnte?› dachte sie. ‹Dazwischen lag eine Viertelstunde Wahrheit. Seine Wahrheit: Jeder für sich.› 54

«Bald sind wir am Ziel. Dann besorge ich sofort Bad, Bett, Hebamme, Arzt. Alles!»

Das war, als ob ein Planet zu einem Planeten spräche und dieser vernehme die Stimme nicht. Und doch lag plötzlich wieder dieses zerbrochene Lächeln in ihrem Mundbezirke.

Die Maschine ließ den Dampf ab, daß die ganze vordere Hälfte des Zuges im Weiß verschwand, zog an, daß alle Puffer dröhnten – ein Rückstoß durch alle Wagen und Reisenden, und dann begann das Leben wieder: Der Holzzug kroch, klappernd und knirschend und klagend wie die Treibriemen und Hämmer und Feilen in einem großen Fabriksaale, vorsichtig und stetig talwärts.

Die Geretteten standen im Laufgang in übererregtem Gespräche; alle redeten gleichzeitig; jeder gab jedem recht. Jeder

---

54 Jeder für sich: *Everyone for himself*. The banker's wife had lost confidence in her husband, who had deserted her in the most crucial hour of her life.

die Freude und Herrlichkeit des Lebens in den Augen und Umarmungen, die nicht ausgeführt wurden.

Im Abteil saß reglos der Staatsanwalt, den Blick in der fernen Vergangenheit.

Der Kurzwarenreisende trat in den Türrahmen, tat einen Schritt und legte die Hand dem Überglänzten fragend auf die Schulter.

Auf den Zehenspitzen schlich er wieder hinaus. «Der Herr da drinnen weint.»

«Er weint?»

«Ja, der Herr weint.»

«Ein Herr weint,» gab der Universitätsprofessor weiter.

Sie sprachen leiser. Und schwiegen plötzlich ganz. Sahen hinaus.

Wie gut die Landschaft war! Die schönen Felder. Die kargen Felder in der Sonne. Und Vögel saßen auf den Telegraphendrähten. Dicht beieinander. Fliegen ab. Fliegen zu. Sie sperren die Schnäbel auf. Sie zwitschern; nur hört man es nicht.

«Wie sorglos wir oben abgefahren sind! . . . Wer hätte das gedacht!» Alle blickten den Chefredakteur an.

«Ja, so kann's plötzlich über einen kommen,»[55] sagte der Universitätsprofessor. «Man sitzt ruhig in seinem Arbeitszimmer – da platzt ein winziges Äderchen im Gehirn . . . und alles ist aus:[56] Zunge und Glieder gelähmt, und man kann eine Gans nicht mehr von einem Kinde unterscheiden.»

«Ein Höllentempo!»

Der Geistliche sagte: «Der Mensch ist immer in Gottes Hand.»

«Aber nun fahren wir so langsam, daß wir die Kuh jetzt noch sehen würden, wenn das menschliche Auge so eingerichtet wäre, daß es um die Ecke sehen könnte. . . . So schön langsam.»

---

55 so kann's plötzlich über einen kommen: *so it can suddenly happen to a person*

56 alles ist aus: *everything is over;* i.e., *a great change has suddenly occurred.*

Sie lächelten und freuten sich. Sie atmeten und lächelten.

«Ein gar nicht zu verkennender Unterschied im Tempo, wie?» witzelte der Kurzwarenreisende. Und begann, die Gefühle zu schildern, die er während des Absturzes gehabt habe.

«Aber um die Ecke kann man nicht sehen. Das wird wohl nie erfunden werden, daß man um die Ecke sehen kann,» sagte, halb fragend, der Korpsstudent, der etwas zu langsam gedacht hatte. Und bückte sich. Hob seine goldene Uhr auf. Hielt sie an das linke Ohr. Hielt sie an das rechte Ohr. Sie tickte noch.

Der Spitzel hatte seinen Stenogrammblock schon aufgehoben. Er schleuderte den Staub heraus, glättete zwei schon beschriebene Blätter.

Der Agitator sah staunend zu. «Sind Sie jetzt wieder komplett?»[57]

«Ordnung muß sein,» sagte der Spitzel und legte das violette Durchschlagpapier sorgfältig wieder zwischen Umschlag[58] und erste Seite.

«Dem seine zwei Söhne sind hin.[59] Sind alle zwei kurz vor Kriegsende gefallen. Die Frau ist darüber gestorben. Seitdem sauft er,» berichtete der Lokomotivführer und reichte dem Arbeiter das blauemaillierte Kübelchen, in dem noch etwas Kaffee war.

«Jetzt werden sie ihn wohl schubsen.»[60] Der Arbeiter reichte das Kübelchen zurück. «Dann ists aus.»

«Ja, dann ists ganz aus mit ihm.» Der Lokomotivführer trank den Rest.

«Ich habe ihn: ‹Die Todesfahrt oder man soll den Tag nicht vor den Abend loben. . . .› Das ist der Titel. Das ist er. Morgen Nachmittag sollen Sie die ganze Geschichte in meiner Zeitung lesen. Wenns geht, schon morgen früh!»

---

57 wieder komplett: *all set again*
58 Umschlag: [here] *carbon copy*
59 Dem seine zwei Söhne sind hin: *His two sons are dead*. The engineer and the workman are talking about the drunken railroad man whose carelessness had caused the whole trouble and who will now lose his job.
60 Jetzt werden sie ihn wohl schubsen: [slang] *They will probably fire him now.*

«Werden Sie auch die Namen bringen?» fragte verlangend der Kurzwarenreisende.

Und jetzt erst stellten sie sich einander vor. Der Student knallte die Absätze zweimal zusammen. Denn er nannte auch noch den Namen des Korps, dem er angehörte.

Der Bankier trat in den Laufgang vor die fragenden Blicke und sagte; er sagte, der Bankier sagte: «Ein strammer Junge!»

In die Gratulationen hinein – der Offizier stellte sich dabei vor – erzählte er: «Und wir hatten doch alles so sorgfältig vorbereitet: Hebamme, Arzt, das Kinderzimmer mit Badeeinrichtung und Wickeltisch. Alles Holzwerk weiß lackiert! Ofenlackierung![61] Und die rührend kleine Wäsche! Nur die Wiege, ein wundervolles Stück aus dem sechzehnten Jahrhundert, ist dunkel. Und nun . . . diese Überraschung! Irgendeine arme Frau, die in einem feuchten Kellerloch liegt und vielleicht nicht einmal weiß, ob sie ihr Kind wird ernähren können, hats leichter und bequemer.»

Der Geistliche sagte mit mildem Ernst, Gottes Wege seien unerforschlich.

Und der Reisende – er stockte und sagte es dann doch –: «Ein Passagier mit Tod abgegangen, ein neuer dazugekommen – geht auf.»

Zuerst begriffen sie nicht, und als sie sich des Karussellbesitzers erinnerten, ständ auf aller Mienen, daß Frivolität hier nicht am Platze sei.

«Man muß dafür sorgen, daß die Leiche geborgen wird.»

«Unmöglich, sie länger da draußen liegen zu lassen!»

«Unbedingt! dafür übernehme ich die Garantie. Ich bin Reisender, kenne die Gegend und weiß, daß es im Sägewerk ein Lastauto gibt. Seinen Personenwagen wird der Direktor nicht hergeben für diesen Zweck.»

«Ein Glück, daß Ihre Frau Gemahlin diesen entsetzlichen Unglücksfall nicht mit angesehen hat. Bei ihrem Zustand! . . .

---

61 Ofenlackierung: *varnished stove*

Wie der losgerissene Arm noch am Türgriff hing, als der Körper schon weg war! . . . Entsetzlich!»

«Die Leiche muß ungefähr zwischen. . . Ja, sagen Sie mal, wo blieb denn eigentlich. . .»

«Wo immer![62] Sie muß sofort geborgen werden.»

«. . . der Viadukt?»

«Der Viadukt – mir ist das später eingefallen – liegt ja auf der Hauptstrecke; unser Wagen, dieser verfluchte Karren! schoß aber in das Seitental hinein. . . . Jedoch auch ohne Viadukt – ich danke!»

Der Universitätsprofessor hob den Zeigefinger in Augenhöhe: «Wissenschaftlich interessant ist die Tatsache, daß, als der Körper schon weg war, die Muskelkraft des Karussellmannes in seinem Arme, der am Türgriff hing, noch weiter funktionierte.»

Schon eine Weile stand der Staatsanwalt im Türrahmen und blickte auf die Reisegesellschaft wie auf sein bisheriges Leben.

Während der Holzzug in das Sägewerk, in dessen Verladehof das Gleis endete, einrollte – der Bankier war bei seiner Frau, hielt sie behutsam in den Armen, – sagte der Geistliche: «Auch der Kopf des Hingerichteten soll ja, wenn er schon abgeschlagen ist, die Augen noch schließen und öffnen. Ob die Augen dann noch sehen, was vorgeht?» Und zeigte dem Universitätsprofessor ein Bescheidenheitslächeln, das dartun sollte, daß er sich da für etwas interessiere, das ihn, den wissenschaftlichen Laien, den Seelenhirten, eigentlich nichts angehe.

«Sie sind derjenige, der uns gerettet hat. Ich danke Ihnen. . . . Bares Geld habe ich leider nicht genügend bei mir; nehmen Sie, bitte, dies hier.» Gerührt sah der Bankier zu, wie der Lokomotivführer, die ölverschmierten Finger weggespreizt, den Scheck mit großer Vorsicht zusammenfaltete und in seinem Dienstbuch verwahrte.

---

62 wo immer: *wherever [the corpse] might be*

Zehn Minuten später lag die Frau in einem sauberen Bett, hatte alles; auch Arzt und Hebamme waren da. Es fehlte ihr nichts. Nur der Glaube an ihren Mann.

«Und nun wollen wir alle Gott danken, der uns aus dieser schweren Not errettet hat. . . . Ob in dieser freundlichen Ortschaft wohl ein Pfarrhaus ist?»

«Ich kenne die Gegend. Das massive, das dort drüben im Grünen steht, ist das Pfarrhaus; aber da drinnen sitzt einer von der Konkurrenz,[63] wenn ich nicht irre, und ich irre nicht, wenn ich nicht irre.»

Der Pfarrer lächelte schmerzlich über dieses Wort. «Es gibt Fälle . . . es gibt Fälle im menschlichen Leben,» sagte er mehr zu sich selbst, nahm seine Handtasche und ging, Regenschirm unter dem Arme, hinüber.

Schon donnerte das Lastauto, Richtung bergwärts, an dem Hause vorüber, in dem die Entbundene lag: Ein Haus, das einer Schießscheibenausstellung glich. Über die Tür, auf die Tür, auf die grünen Fensterläden, auf die Giebelwand, auf die Wetterfahne, über alle Fenster, zwischen alle Fenster waren Schießscheiben gemalt, so daß jedes Kriegsvereinsmitglied, wenn es an diesem Hause vorbeiging, von Schießlust befallen werden mußte.

Hebamme und Arzt hantierten in der Küche. Der Bankier stand im Schlafzimmer vor dem weißen Bett. . . . «Ich würde ja so sehr, so sehr viel lieber bei dir bleiben. Bin ja so froh. Aber es wird nicht möglich sein. Die heutige Generalversammlung der Aktionäre – ich allein vertrete vierzig Prozent des Gesamtkapitals. Also du verstehst doch!»

«Ja, ich halte dich nicht,» sagte sie in einem Tone, als ob sie eingesehen hätte, daß ja auch die Gesetzmäßigkeit, die in einem abgehängten, talwärts rasenden Eisenbahnwagen sich auswirkt,

---

[63] einer von der Konkurrenz: a Catholic priest. The salesman speaks in terms of business competition when he refers to religious denominations.

nicht beseitigt werden könne dadurch, daß der Insasse wünscht, lieber ruhig bei seiner Frau im Zimmer sitzen zu dürfen.⁶⁴

«Kannst ja deine langhaarigen Lehrer, die alles wissen und haben, nur nicht die nötigen Finanzen, ihre Ideale zu verwirklichen, einstweilen einmal antreten lassen.»

Darauf antwortete sie nicht. Sie dachte mit Sympathie, die den Beweis ihrer Tiefe in der Schwäche der Entbundenen hatte, an den Arbeiter und sah dabei ihr Kind an, als ob es das des Arbeiters wäre.

«Ob mir der Direktor des Werkes sein Privatauto leiht? Dann würde ich den Zug, weißt du, den, von dem sich unser Wagen abgehängt hat, sicher noch erreichen.»

Die andern hatten sich schon zu Fuß auf den Weg gemacht, durch das Quertal hinüber ins Haupttal zur Bahnstation.

Das ist ja wie auf dem Korso,⁶⁵ dachte der Bankier im Auto:

Vorüber am grüßenden Offizier, der, beziehungslos zur Landschaft, einsam unter Apfelbäumen schritt; am grüßenden Korpsstudent vorüber, der in Gedanken seinen Kommilitonen das Abenteuer erzählte:⁶⁶ . . . ‹und im Coupé solch 'ne Schweinerei: 'n Weib mit 'ner Geburt.›

An Chefredakteur und Universitätsprofessor vorüber: Diesmal standen drei schwarze Hüte in der blauen Abendluft.

‹Und dieser Gamaschenherr zieht auch den Hut . . . Eigentlich hätten wir (als ob ich der Souverän wäre), eigentlich hätten wir ganz gut alle zusammen im Wagen zur Station fahren können.›

Steil bergauf und langsam vorüber an Agitator und Staatsanwalt. Der Bankier lehnte sich zurück. ‹. . . Vater! . . . Einmal wird der Schlingel groß sein. . . . Ob sie alles Nötige hat? Die

---

64 This sentence means that the memory of the last hours in the detached car cannot be eradicated by the fact that the banker would now rather sit at home with his wife.

65 wie auf dem Korso: *just like a promenade*

66 The student already thinks in the arrogant and ugly fraternity idiom which he is going to use when describing his trip.

Gute! ... Ich werde gleich Blumen schicken. Und den Hausarzt. Viel Blumen! Duftlose! Und sterilisierte Milch. ... Wo blieb denn eigentlich dieser Arbeiter, der zufällig da war und ihr behilflich sein konnte bei der Geburt? ... Solch ein Zufall! Glück eigentlich, trotz allem! Ich werde ihm eine Extra-Gratifikation. ... Ach, wenn man doch alle Menschen zufrieden machen könnte,› wünschte plötzlich der Bankier und vertiefte sich in die Unterlagen für die Aktionärversammlung.

«Haben Sie schon darüber nachgedacht?» fragte der Agitator den Staatsanwalt und blieb stehen.

(Da blieb auch der Spitzel stehen.)

«Was werden Sie jetzt tun?»

Das Verebben des lauten Tages, die ersten sinkenden Abendschleier, machten das Tal hellhörig. Das Zirpen der Grillen, die Stimmen der Tiere waren stärker geworden. In der Ferne zog ein dunkles Arbeitergrüppchen dumpftrappelnd querfeldein, dem Dorfe entgegen, zusammen mit dem stallwärts ziehenden Weidvieh, dessen Glocken fernher tönten. Noch arbeiteten vereinzelt hier und dort Bauern kniend auf dem Felde. Und ein Pflügender, dessen Silhouette vom schon dunkelnden Hügel schwarz emporstieg gegen das weißruhende Gebirge, sank langsam hügelabwärts und war, im Dunkel zergehend, seinem Tale anheimgegeben.

Der Staatsanwalt hatte nicht geantwortet. Er ging schweigend neben dem schweigenden Agitator her, eingespannt in das Joch der Gesinnung.

Die Art dieses Nebeneinandergehens verstärkte den schon bestehenden Verdacht des Spitzels. ‹... wenn aber schließlich er doch als glänzender Schauspieler, als Überspitzel dastünde und ich als Esel, dann flöge ich....[67] Wenn aber andererseits...›

Zögernd verließ der Spitzel die Landstraße und ging versonnen durch den Wald. Auch der Spitzel hatte eine Mutter und hatte eine Frau und hatte zwei kleine Kinder, die, wenn der Vater von

---

67 dann flöge ich ... : *then I would be fired* ...

einer Reise zurückkam, fragten: «Hast du uns etwas mitgebracht?» Worauf der Vater bedauernd und erschrocken sagt: «Ach, das habe ich jetzt ganz vergessen,» und dabei listig mit dem linken Auge zwinkert.

Das Auto des Direktors, auf dem Rückwege von der Station zum Werk, glitt, mit Blumen gefüllt, vorüber. Der livrierte und wohlgenährte Chauffeur pfiff wie eine Amsel.

Minuten später stieg ein Strohhut in die Luft: Der Kurzwarenreisende, der mit dem Chauffeur einig geworden war, fuhr vorbei. Er hatte die drei Detaillisten der Ortschaft mit Erfolg besucht und zum Schluß sich nach dem Gefährten im Pfarrhaus erkundigt, wo im Wohnzimmer auf der polierten Kommode zwei himmelblaue Glasvasen mit Enzian standen, am schon abendlichen Fenstertischchen die zwei Pfarrer saßen, bedient von einer glatt gescheitelten, ältlichen Frau mit schmalen, gelben Händen, und an der Wand, über den Bücherrücken, die zart gebaute Uhr tickte. Und später wird die Lampe gebracht, hatte der Reisende gedacht. ‹Na, schön!›[68]

Im Wartesaal saßen alle am selben Tisch. Der Chefredakteur schrieb schon an seiner Schilderung. Der Bankier trank Wasser mit etwas Rotwein, überflog das neueste Handelsblatt, im Bahnhofskiosk gekauft, sprach dazwischen mit dem Witze erzählenden und Zahlen ins Notizbuch schreibenden Kurzwarenreisenden, dachte gleichzeitig dabei zärtlich an seine Frau.

In der Bahnhofshalle gingen der Agitator und der Staatsanwalt auf und ab. Der Zug, von dem der letzte Wagen sich abgehängt hatte, war schon signalisiert.

Der Spitzel betrachtete die beiden sinnend. Schließlich entschloß er sich doch, der politischen Abteilung seinen Verdacht in vorsichtiger Form und nur mündlich mitzuteilen.

Bei der Kaimauer, am Verladeplatz, stand der Arbeiter und blickte hinaus auf den Fluß, versunken in Erinnerungen, als ob der Fluß, nichts als der Fluß, seine Heimat, seine Kindheit wäre.

---

68 Na, schön!: [here] *So what?*

Zog den Blick zurück, fragte den alten Schiffer, der das Verdeck abschwemmte: «Gehört das dir?»

«Ja, woher denn!⁶⁹ Das Schiff gehört zum Sägwerk.»

«Ich bin auch am Wasser aufgewachsen. . . . In meiner Heimat werden nur noch eiserne Schiffe gebaut. Die halten länger.»

«Weil er halt⁷⁰ das Holz selber hat. Aber sie halten auch. Das Schiff hier haben wir anno 86 gebaut, dort unten auf der Werft. Daran erinner ich mich noch ganz genau. . . . Die gehört jetzt auch zum Sägwerk, die Werft.»

«So ein fließendes Wasser ist etwas Schönes. . . . Jetzt kommt er ja endlich.»

«Schon schön.»

Der Zug, von dieser Station an Schnellzug, rollte in das ebene Land hinein, aufenthaltslos der Hauptstadt zu.

---

69 Ja, woher denn!: *What gives you that idea?* 70 halt: [fill word] not to be translated

HERMANN KESTEN

DIE RACHE

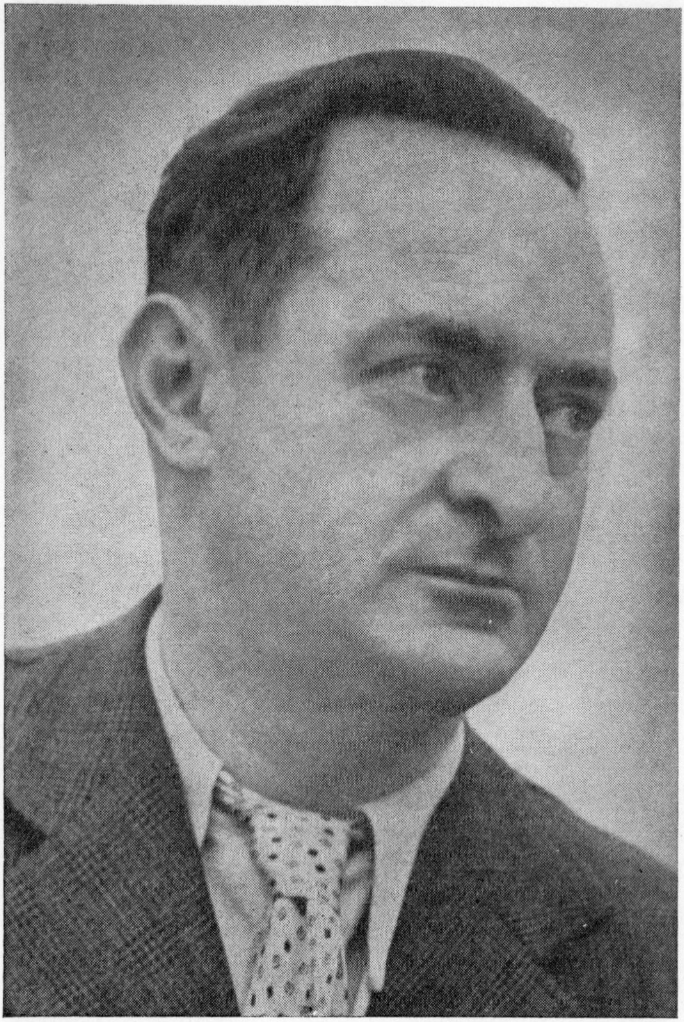

HERMANN KESTEN

THE STUDENT OF GERMAN WILL SEARCH IN VAIN FOR THE NAME OF Hermann Kesten in most histories of literature. And yet, the author is one of the most prolific German writers alive today. The reason is sad but simple: a relatively young man with only a few novels to his credit when Hitler came to power, Kesten established his international fame in exile, and it is only now that his name is becoming generally known in his native country. Inasmuch as he has already risen reasonably high in stature in world literature, it is appropriate to introduce the author to American students of German.

Hermann Kesten was born in the old city of Nürnberg in 1900, the son of a Jewish merchant who instilled in him while he was still a young child a love for the great liberating minds of the world, such as Lessing, Heine, Voltaire, and Tolstoy. Starting to write poetry at the age of twelve, young Hermann prepared for a literary career, studied at several universities, and acquired the degree of doctor of philosophy. His first novel, *Joseph sucht die Freiheit* (1927), made him at once an author of consequence, won the respected Kleist Prize for him, and was translated into twelve languages. A few books followed within a short time, interrupted only by extensive editorial work for magazines and publishing houses. When the Nazis took over, Kesten fled to France, where he stayed until the German army overran that country. In the years of his European exile he became one of the most active anti-Fascist writers and editors. In 1940 he came to the United States and devoted much of his time to assisting fellow intellectuals through the International Rescue Committee, which brought to these shores such authors as Franz Werfel, Heinrich Mann, and Leonhard Frank among many others. In 1949 Kesten revisited Germany for the first time since his exile and lectured widely in the Western zones; his permanent home, however, remains in New York City.

Hermann Kesten's literary reputation rests chiefly on his social-satirical fiction and historical-psychological biographies. Of the latter the most important are *Ferdinand und Isabella* (1936) and *König Philipp der Zweite* (1938). His scholarly and highly intellectual book *Copernicus und seine Welt* (1948) was widely acclaimed. A planned biography of the dramatist and poet Friedrich Schiller was temporarily abandoned in favor of a forthcoming study of Casanova, for which the author recently did research in the archives of several European countries. Kesten's most important work of social fiction is the huge novel *Die Zwillinge von Nürnberg* (1947), an allegorical panorama of Germany between 1918 and 1945. Many sharply drawn characters who symbolize the diffuse and contrasting elements of German society are here skillfully interwoven in a brilliant and complicated plot. Some of the most gruesome horror stories of Gestapo bestiality and Nazi depravity form important sections of the broad canvas of the book, which was hailed by American critics as one of the most penetrating studies of modern Germany's shocking deterioration. In a lighter vein is Kesten's next and latest novel, *Die fremden Götter* (1949), which treats the conflict of generations and religions in a conciliatory manner, displaying the author's satirical touch, understanding of human frailties, and unshaken optimism.

Hermann Kesten is a sharp observer and keen social critic who operates on a high intellectual level. His spiritual ancestors are Swift, Montaigne, Lichtenberg, and Heinrich Heine. Pretentiousness and bombast are alien to his art. Free of sentimentality, he is a master of gentle irony as well as biting satire. He aims at brevity, precision, and clarity. His style is smooth, his language simple. In short, he is immensely readable, as his ever-increasing fame proves. Writers of his kind are still rare in contemporary German literature.

The little story *Die Rache* is neither Kesten's best nor most significant piece of short prose. It is a slight, playful example of his satirical flair, easy style, and subtle irony. It must have been written at the end of the depression, in the late 1920's, when the author was still a young man in Germany. It has never been published in a book before. The considerable length of the other two stories in this volume prohibits a longer selection of Kesten's work. However, there is still a great deal of truth in the German proverb: "In der Kürze liegt die Würze."

DIE RACHE

DER WIND HAT AUFGEHÖRT. DER HIMMEL IST VON SCHWEREN Wolken verhängt, die Luft dicht von Nebeln, es ist Abend oder Zwielicht, wie an Winternachmittagen, der trockene Schnee knirscht unter seinen Füßen, er geht den Bergpfad hinauf, er sieht kaum mehr als zehn Schritte weit, aber der Weg ist nicht gefährlich; sein Herz ist trüb, er geht und denkt, die Berge müßten sichtbar sein und der Himmel blau und wie reingekehrt; das Wetter ist schuld, daß mein Herz so schwer ist, denkt er und steigt höher. Er ist dreiunddreißig Jahre alt. An der linken Hand sind zwei Finger verstümmelt. Er heißt Karl Klotz.

Plötzlich vor einer Biegung des Weges hört er ein Geschrei, entsetzlich und nahe wie von einem Adler oder Geier, der stirbt. Er erschrickt maßlos. Er steht und lauscht. Es ist ganz still als wäre das Gebirg eine Katakombe. Eine hohle Stille herrscht. Dann, plötzlich, klingt wieder dieses entsetzliche Geschrei auf, nahe, ganz nahe vor ihm.

Er stürzt einige Meter voran, um die Wegbiegung herum; ein Abgrund fällt links steil in die Tiefe, der Nebel hat sich etwas gelichtet. Er hört das Geschrei, sieht, dicht vor sich, einen

Menschen in einem grauen Reiseanzug mit einer blauen Schirmmütze auf dem Kopf, einen Menschen zwei Meter unterhalb seiner Füße, der an einem Strauch hängt, mit beiden Händen an den Strauch geklammert. Das Gesicht des Menschen ist nach rückwärts ins Genick gebogen, unter ihm gähnt der Abhang in die Tiefe, deren letzte Schrecken der Nebel noch deckt; der Mensch zeigt im Gesicht ein schwarzes offenes Maul. Aus diesem Maul dringt nun wieder das entsetzliche Geschrei.

Klotz beugt sich über den Abhang. Ein Mensch ist in Todesnot, man muß ihm helfen, einmal sind wir alle in Todesnot, also müssen wir einander helfen, nicht wahr? Ein Mensch muß doch dem andern helfen. Klotz beugt sich über den Abhang, sinnlos vor Aufregung und Verzweiflung, weil er nicht weiß, wie er den Fallenden schützen soll vor dem entsetzlichen Sturz ins Nichts. Klotz beugt sich über den Abgrund und schreit dem Angeklammerten ins schreiende Maul und Gesicht. «Herr,» schreit er, «Herr, wie kann ich dir helfen?»

Er verstummt, der unten sieht dem oben ins Gesicht, sie glotzen sich an, plötzlich durchfährt es Klotz wie ein siedender Strahl oder die Stimme Gottes den prassenden Sünder. Er schreit dem unten ins Gesicht: «Wie heißt du?»

Der unten meint, der oben sei toll geworden, was soll das, wie er heißt; Panter heißt er, Theodor Panter, aber was soll das? Er brüllt, der unten brüllt von unten herauf wie zu Gott empor: «Retten Sie mich! Ziehen Sie mich doch herauf! An einem Ast! Oder an Ihren Hosenträgern! Rettung!»

«Wie heißt du?» brüllt von oben Klotz. «Zuerst muß ich wissen, wie du heißt!»

Der unten denkt: das ist der Teufel, das ist ein Verrückter, das ist die Hand Gottes; er schreit: «Panter, ich heiße Theodor Panter, retten Sie mich! Ich bin reich. Ich habe Geld. Ich muß gerettet werden. Ich bin erster Klasse!»[1]

---

[1] erster Klasse: a satirical reference by the author. Mr. Panter considers himself a first-class person because he is rich.

«Richtig,» schreit von oben herunter Karl Klotz und lacht, und der Geifer fließt ihm zum Maul heraus, «richtig, du bist erster Klasse, ich bin dritter Klasse gefahren, weißt du es nicht mehr? Du kanntest meinen Namen nicht, ich aber kannte deinen Namen, denn du bist reich, man kennt die Namen der Reichen. Als das Schiff sank, vor drei Jahren, weißt du noch, im Atlantischen Ozean, du fuhrst erster Kajüte, ich fuhr dritter Kajüte, das Schiff sank, die entsetzlichen Schreie der Passagiere wurden durch Revolverschüsse des Kapitäns unterbrochen, der Wind brüllte, das Meer war weiß und grün im Sturm; der Befehl hatte geheißen, zuerst die Frauen und Kinder ins Boot, dann die Passagiere erster Kajüte, dann die Passagiere zweiter Kajüte, dann waren die Rettungsbote voll! Und die Passagiere der dritten Kajüte? Die Herren Passagiere aus der dritten Kajüte dürfen schwimmen, Korkwesten stehen reichlich zur Verfügung. Ich hatte eine Korkweste. Ich sprang ins Meer, tauchte, wollte schwimmen, sank, trieb empor, griff an den Rand eines Bootes; es war menschenvoll, mitten im Meer ein Boot, mitten im nassen Tod Menschen. ‹Da, schon wieder ein Kerl!› schriest du, ich klammerte mit der linken Hand am Boot, spuckte Seewasser aus; ein Matrose schrie ‹Laßt den herein,› aber du riefst ‹das Boot ist voll› und schlugst mit ganzer Kraft mit dem schweren Ruder auf meine linke Hand. Ich ließ los, besinnungslos vor Schmerz und Verzweiflung, ich war verloren, hundertprozentig, so schien mir. Ich wurde geborgen von einem Dampfer, der zu Hilfe geeilt war; ich lebe, aber du hast es nicht gewollt, du hast meinen Tod gewollt!»

«Retten Sie mich, retten Sie mich,» schrie von unten Panter, «ich verliere die Kraft, ich lasse los, retten Sie mich!»

Da ließ sich Klotz mit den Füßen herab über den Abhang, hielt sich mit beiden Händen am Wurzelwerk über dem Abhang und trat mit beiden genagelten Schuhen schwer auf beide klammernde Hände des Menschen unter ihm. Der ließ stumm, ohne Laut, den Strauch los, sauste in die Tiefe, zerschellte, man hörte durchs ganze Gebirge einen schrecklichen Hall, – und Karl Klotz erwachte.

Er lag auf dem Sofa, in seinem möblierten Zimmer in Berlin, die Gebirge waren fern, das Zimmer lag fahl im Zwielicht des frühen Winterabends. Karl Klotz erwachte mit heftig schlagendem Herzen, erhob sich benommen, trat ans Fenster, blickte unwillkürlich auf seine linke Hand: zwei Finger waren verkrüppelt.

Er dachte: das ist es, ich bin ein Krüppel, das kann ich nicht vergessen, schrecklich, wie böse ein Mensch im Traum wird. Dieser Kerl von der ersten Kajüte damals, dieser Herr Theodor Panter, war gar nicht ein Schurke, er war ein Bankdirektor oder Fabrikant, der um sein Leben zitterte, was weiter,[2] nur, er hätte nicht schlagen sollen, er schlug mich zum Krüppel, das war vielleicht überflüssig. Rache? Macht Rache den erlittenen Schmerz vergessen? Immerhin, wenn ich heute oder morgen Herrn Theodor Panter sehe, auf der Straße, in einer Bank, in einem Café, in der Eisenbahn, in einer Küche, in einem Büro, im Bett, ich würde ihn nicht töten, aber packen möchte ich ihn, ihm ins Gesicht spucken, ihn mit beiden Händen ins Gesicht schlagen, daß er drei Tage lang die Spuren meiner Finger im Gesicht trüge! Und wenn es mich meine Existenz kosten würde und die Seligkeit meiner Seele, das würde ich auf der Stelle tun, auf jeder Stelle tun! So wahr[3] ich ein fühlender Mensch bin!

Karl Klotz, ein Mann von dreiunddreißig Jahren, mit zwei verkrüppelten Fingern an der linken Hand, ein stellungsloser Buchhalter, ging in ein Café in der Stadt. Dort saß er zwei Stunden vor einer Tasse Kaffee, hörte auf die Musik, sein Herz war schwer. Er wußte, er hatte kein Geld mehr, keine Beziehungen, keine Aussicht auf eine neue Stellung, sein Leben sah trübe aus

---

2 was weiter: *what's more, besides, so what*   3 so wahr: *as true as, as surely as*

und dumpf und wie von allen Seiten verstellt. Als er aufstand um das Café zu verlassen, rief ihn jemand. Es war ein Schulfreund namens Meier. Fast in jeder Schulklasse gibt es einen Schüler namens Meier (Maier, Mayer, Meyer). Er ist meist still, unbedeutend, und wird später Steuerassessor[4] oder kaufmännischer Buchhalter.

Dieser Meier, der Schulfreund von Klotz, war kaufmännischer Oberbuchhalter in einer Industriegesellschaft. Er hörte kaum, daß Klotz stellungslos sei, als er ihm sagte, Klotz solle sich übermorgen persönlich beim Direktor vorstellen, die Firma suche einen tüchtigen, bankmäßig geschulten Buchhalter. Morgen solle er ihm ein Stellungsgesuch und die Papiere ins Büro bringen; er, Meier, stehe sehr gut[5] mit dem Direktor und werde selber morgen mit ihm reden.

Klotz tat so. Am übernächsten Tage kam er rasiert, frisiert, sorgfältig angezogen ins Büro. Meier empfing ihn lächelnd, flüsterte ihm zu, die Sache stehe großartig, er solle zusehen und[6] eine «gute Figur machen»[7] vor Herrn Direktor Panter. Indes schickte Meier eine Stenotypistin ins Büro, Herrn Klotz anzumelden.

Der war blaß geworden wie ein frisches Handtuch und murmelte fragend: «Theodor Panter?»

«Natürlich,» flüsterte Meier verwundert, «nimm dich doch zusammen, Mensch, die Sache steht gut.»

Aber schon führte man Klotz ins Büro, schon stand er da; an einem Schreibtisch abgewandt saß ein Herr und las, jetzt wandte er sich zu Klotz hin und blickte auf – er war es, Theodor Panter. Panter war der Direktor dieser A.G.[8]

---

4 Steuerassessor: *official in the Office of Internal Revenue*
5 gut stehen mit: *to be on good terms with*
6 er solle zusehen und: *he should do his best and*
7 eine gute Figur machen: *to cut a good figure; to make a good impression*
8 A.G.: [Aktiengesellschaft]: *joint-stock company, corporation*

Der Direktor sagte: «Setzen Sie sich bitte, – nein, hierhin! Sie haben in einer großen Bank gearbeitet? Was war Ihre Tätigkeit dort?»

Klotz antwortete, aber er hörte nicht hin, weder auf das, was der Direktor sagte, noch auf seine eigenen Antworten. Er saß da, in einem ledernen Stuhl, in einem feinen Büro, im Hause dieser großen A.G., und dachte in seinem Herzen und in seinem Hirn: Da sitzt er, der Mörder; der Mörder Theodor Panter sitzt da vor mir, wie rede ich zu ihm, ich muß ihm zuhören, gewiß, Herr Direktor, wie Herr Direktor meinen, ganz Ihrer Ansicht, Herr Direktor. . . . Der war nicht herabgestürzt, der war nicht zerschmettert in Nebel und Abgrund, der saß da, fett, gesund, rund, ein Sieger! Reich und glücklich saß er da, gewohnt in ledernen Stühlen zu sitzen, wie ein König saß er da, und Klotz saß vor ihm, der nicht schuld war daß Klotz heute noch lebte, in Elend und ohne Arbeit, aber voll von Leben; ein Mörder saß vor Klotz da, oder war es bloß ein Direktor?

Ich muß aufstehen, dachte Klotz, und ihm ins Gesicht spucken, ich muß ihn am Kragen packen; ich will ihn nicht töten, aber schlagen muß ich ihn mit beiden Händen ins Gesicht, daß ihm die Spuren meiner Finger drei Tage ins Gesicht eingebrannt sind!

Klotz saß da und stammelte: «Gewiß, Herr Direktor! Wie Herr Direktor befehlen! Natürlich, Herr Direktor, ganz Ihrer Ansicht, Herr Direktor!» Klotz saß da. Sein Herz war tot.

Zum zweiten Male sagte der Direktor zu Klotz, sein Ton klang schon gereizt: «Sie können jetzt gehen, Herr Klotz. Sie bekommen schriftlich Bescheid.»

Erschreckt sprang Klotz auf, dienerte zweimal, stammelte (er war seit zwei Jahren ohne Stellung, er hatte kein Geld): «Danke gütigst, Herr Direktor! Auf Wiedersehen, Herr Direktor!» Klotz ging.

Er ging auf der Straße und dachte: ich habe mich nicht gerächt! Ich habe mich nicht gerächt. Ich habe ihn nicht getreten. Es gibt keine Rache. Rache ist nur eine Erfindung der Getretenen, ein Traum, mit dem sie sich trösten. Im Leben gibt es keine Rache! Denn die Getretenen werden zweimal getreten! Und die Zerstampften nochmals zerstampft! Und die Ermordeten wieder ermordet!

Klotz setzte sich auf eine Bank in einer Anlage, Bäume standen um ihn herum, grün und fühllos wie Passanten; Klotz sah auf die Stummel seiner linken Hand, er biß in seine linke Hand, er weinte.

Am andern Tag bekam er einen kurzen Brief: Der Posten sei leider anderweit besetzt. Unterschrift: Direktor Panter.

Klotz ging nachmittags ins Büro und holte seine Papiere. Meier drückte ihm etwas eilig die Hand und sprach mit halbem Bedauern: «Tja leider, schade, tut mir selber leid, wirklich, tut mir leid.»

«Aber warum?» fragte zitternd Klotz. Er hatte alles vergessen, Meer, Rache, Tod und Traum. Er wußte nur: zwei Jahre bin ich arbeitslos. Er stammelte: «Aber warum?»

Meier beugte sich näher zum Ohr von Klotz und flüsterte mit hochachtungsvollem Gesicht: «Tja, mir selber unverständlich, aber Herr Direktor meinte, Zeugnisse seien schon ganz recht, aber der persönliche Eindruck dieses Klotz ist ja einfach niederschmetternd!»

«Ach,» sagte Klotz und lachte plötzlich unmotiviert auf, «ach, ich bin dem Herrn Direktor Panter persönlich unsympathisch?»

Darauf nahm Klotz seine Papiere und ging ohne überhaupt nur einmal Meier zu danken.

Meier sah ihm eine Minute nach und dachte kopfschüttelnd: Wirklich, dieser Klotz, ein unsympathischer Mensch. Und dabei war er doch mein Schulfreund!

Dann ging Meier in das Büro des Direktors.

BRUNO FRANK

SECHZEHNTAUSEND FRANCS

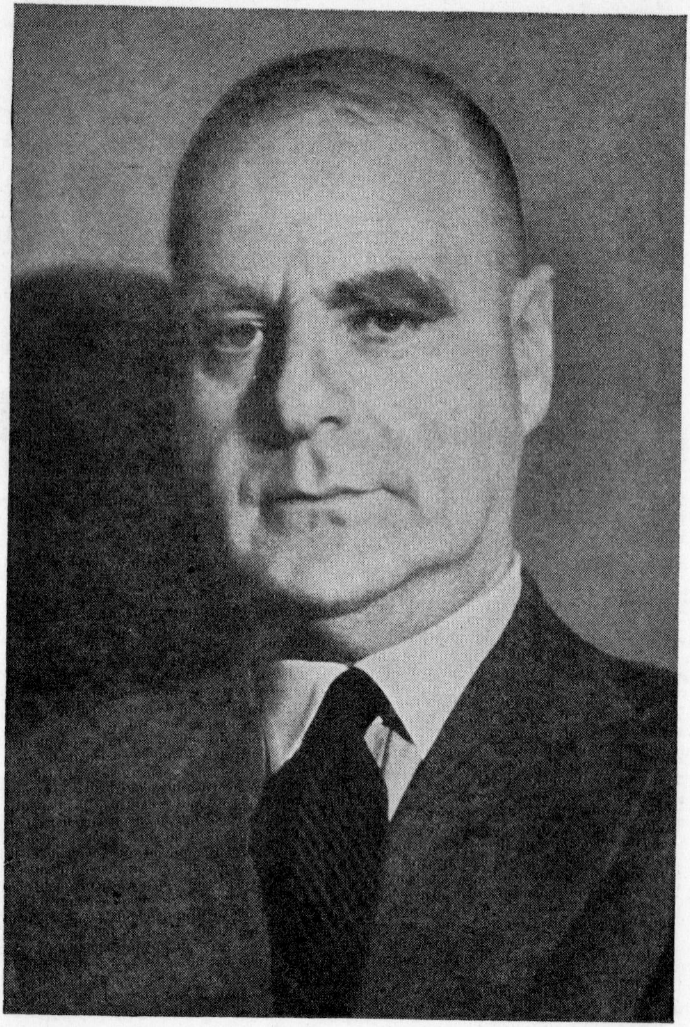

BRUNO FRANK

BRUNO FRANK WAS BORN IN STUTTGART, SOUTHERN GERMANY, IN 1887. Member of a wealthy middle-class family, he was in the fortunate position of being able to pursue his inclinations and interests without an undue restraint imposed by financial considerations. Having received special instruction in one of the most progressive private schools of Thuringia and at the local gymnasium of his native city, he studied law, literature, history, and philosophy at several universities, occasionally interrupted by travel abroad. While still an undergraduate he published his first volumes of verse. In 1911 he received his Ph.D. from the University of Tübingen. After war service on the French and Russian fronts he withdrew to upper Bavaria, where he wrote several novels and plays and stayed until he married. He moved into Bruno Walter's house in Munich in 1925 and lived there as a neighbor and friend of Thomas Mann until Hitler came to power. The day after the "Reichstagsbrand" in 1933 he left Germany. After four years of uneasy exile in Switzerland, France, and England he went to Hollywood, where he remained until his death in 1945.

Bruno Frank's literary production is large and multiform, comprising fiction, poetry, drama, essay, adaptation, and translation. Although he considered himself chiefly a novelist, he was at times better known as a playwright whose works were widely performed all over the world. His main interests were historical and biographical. Of his plays two may be named, the internationally successful comedy *Sturm im Wasserglas* (1930) and the drama *Zwölftausend* (1927), based on the treaty of 1776 between the British agent Faucitt and a German landgrave for the sale of troops to America. There is an ironical coincidence of fate in the fact that Frank made his hero Pideritt choose America as his new home, at the end of a play that was written ten years before the author himself was to make the same decision.

As the drama already indicates, it was the period and personality of Frederick the Second of Prussia which especially intrigued Bruno Frank's creative instincts. Two of his most successful novels were prompted by the fascinating genius of the enigmatic king: the highly popular *Trenck* (1928) and the brilliant *Tage des Königs* (1924). Of the latter Sinclair Lewis wrote in the introduction of the American edition: "In three swift incidents, Bruno Frank gives us more of the essence of Frederick's greatness—and his loneliness—than would a library of dates and battle-maps." That Frank was, however, by no means restricted to historical fiction in his best creative years while still in Germany is best evidenced by two masterful novelettes dealing with the contemporary scene. The *Politische Novelle* (1928), perhaps his most beautifully written piece of prose, using Germany's foreign minister Gustav Stresemann as a model, was the author's most emphatic endorsement of the Weimar Republic, while he immortalized the great theatrical director Max Reinhardt in the "Novelle" *Der Magier* (1929).

In the years of exile Bruno Frank wrote a number of novels which were widely translated and read. *Der Reisepass* (1937) and a few years later *Die Tochter,* modern in theme and setting, deal with problems created by the Nazi regime, such as the impact of racial discrimination and the tragic plight of the drifting European refugee in our time. In *Cervantes* (1934) the author made a subtle semihistorical psychological study of the great Spanish writer. He believed this novel to be his best work. Premature death at fifty-eight years prevented him from completing another biographical book, based on the historical figure of the French 18th-century author Chamfort, in whose life Frank saw symbolic similarities to our modern age. Only the first chapter was finished and published.

Historians of German literature have been uniformly remiss in evaluating Bruno Frank appropriately. Although he has been omitted from consideration for obvious reasons since 1933, his name was hardly ever—or at best condescendingly—mentioned in the critical studies of Marholz, Sörgel, Fechter, Eloesser, and others before Hitler. If several of Frank's short stories and plays have, nevertheless, become available to American students in the last decade, the credit is entirely due to German professors in this country who recognized fine writing when they saw it. The truth is that Bruno Frank was a literary craftsman of high caliber. He might have been neither a pioneer nor a creator of new trends and techniques, but he was that relatively rare man of German letters: a thoroughly civilized, humane, cosmopolitan, polished, brilliant, restrained, enjoyable, entertaining writer. His literary models were Flaubert, Schopenhauer, Turgenev, and, of the living, Thomas Mann and Somerset Maugham. His philosophical orientation was decidedly Western. He was a staunch exponent of individual dignity and freedom.

It might be granted that Frank is not always "deep" in the peculiarly German connotation of poetic prophecy, mystic vision, irrational rhapsodizing, and foggy ponderosity, which only too often tend to veil a lack of genuine creative power. In the last analysis, it is the tone that makes the music or, in writing, the style that marks the author. Here is what one of the great masters of contemporary literature, Somerset Maugham, has to say about his German colleague: "It has always seemed to me that German is a very fine language for poetry, but somewhat heavy and cumbersome for prose. It is dangerous for anyone to make a pronouncement upon the style of a writer in a language that is foreign to him. I speak with diffidence. I have read Bruno Frank's stories in German and I have a very strong impression that he wrote it with grace, lightness, and lucidity. If I am right it is a further indication of his charming, honest, and unpretentious character."

The story *Sechzehntausend Francs* was written in Hollywood in 1940, printed the following year in the (now discontinued) magazine *Decision*, and published in book form for the first time by the Pacific Press in Los Angeles in 1943. A new edition appeared in Holland in 1947. The long "Novelle" is in the tradition of the great European storytellers Turgenev, Chekhov, Storm, Maupassant, Mann. It is one of the last works that Bruno Frank completed and shows his best qualities: nobleness of sentiment, emotional restraint, psychological subtlety, artistic discipline, lucid style, simple language. Moreover, this masterful novelette is one of the few first-rate pieces of modern German prose which, without being propagandistic in any way, do not evade the political reality of the last thirty years. The reader will gain new understanding of German life between 1918 and 1933.

SECHZEHNTAUSEND FRANCS

I

WÄHREND DER ENDPHASE DES LETZTEN KRIEGES IM BEGINN DER sogenannten zweiten Marneschlacht,[1] gelang es den Deutschen, an einigen Stellen der Front vorläufige Erfolge gegen die alliierten Truppen zu erringen. Unter Anderm wurde in dem Abschnitt westlich von Reims das Zentrum der 5. Armee unter dem General Berthelot in der Richtung auf Epernay zurückgedrängt und genötigt, neue Stellungen auf der Linie Pourcy-Belval-Reuil sur Marne[2] zu beziehen.

Am Abend des Julitags, der mit diesem Ergebnis abschloß, zeigte sich das Gelände vor der deutschen Front mit Toten und Verwundeten übersät. Auf dieses Terrain entsandten die Deutschen, außer ihren Sanitätsmannschaften, auch mehrere kleine Abteilungen, die bei den gefallenen französischen Offizieren nach Gefechtsbefehlen suchen sollten. Denn es war wichtig fest-

---

[1] Marneschlacht: The first battle of the Marne took place between Paris and Verdun in September, 1914. A short advance of the Germans between July 15 and 17, 1918 is called the second battle of the Marne.

[2] sur Marne: [French] *on* or *at the Marne*

zustellen, wieweit man drüben über die deutschen Offensivpläne unterrichtet war.

Unter denen, die damit beauftragt wurden, befand sich der Leutnant Michael Raumer, ein 24-jähriger Studierender der Rechtswissenschaft aus Berlin. Zwei Leute aus seiner Kompagnie nahm er mit sich. Aber das Resultat ihrer Suche war mager. Denn entweder befanden sich nicht viele höhere Offiziere unter den Gefallenen, oder sie waren von den Franzosen schon fortgeholt worden. Außerdem aber hatte man im Lauf des langen Krieges auf beiden Seiten gelernt, bei der Ausfertigung schriftlicher Direktiven vorsichtig zu sein.

Raumer befahl seinen Leuten umzukehren und folgte ihnen langsam nach. Da stieß er in einer Bodenmulde, hinter niedrigem Gebüsch, auf die Leiche eines Offiziers. Es war noch hell genug, um an seiner feldblauen Uniform die Abzeichen eines Hauptmanns zu erkennen.

Der Gefallene lag in einer gewissermaßen bequemen Stellung, den Kopf etwas erhöht, die Arme zu beiden Seiten ausgebreitet. Man sah im Tuch des Waffenrocks die Eintrittstelle der Kugel, die ihm genau das Herz durchschlagen haben mußte. Sein flacher Stahlhelm lag neben ihm, mit der Öffnung nach oben.

Das Gesicht des Toten, schmal und zart, wohlrasiert und mit einem gezirkelten, schwarzen Schnurrbärtchen versehen, war etwas zur Seite gewendet. Der Mund, zu klein für einen Männermund, stand leicht offen[3] und schien verächtlich und auch etwas dümmlich zu lächeln. Offen standen auch die großen hellen Augen, über denen das Weiße sichtbar war. Der Leutnant Michael Raumer schloß sie ihm.

Dann machte er sich nach seiner Vorschrift daran, den Toten zu durchsuchen. Er öffnete ihm die Tunika und sah die Wunde auf der Brust, die von einem ganz schmalen Rand schon getrockneten, braunen Blutes umgeben war.

Er entnahm dann der linken inneren Brusttasche das Porte-

---

3 leicht offen: *slightly open*

feuille des Gefallenen. Dokumente militärischer Art enthielt es nicht, dagegen ein Identitäts-Papier auf den Namen Charles de Borel-Corignan. Aus einem andern Fach ragten Banknoten hervor. Raumer zog ein wenig daran.

Es waren Tausendfrancsscheine, ein ganzes Bündel, fünfzehn oder zwanzig. Ihr festes und dünnes Papier knisterte unter seinen Fingern.

Es war völlig still auf dem Leichenfeld. Es wurde dunkel. Das Lächeln auf dem Gesicht des Gefallenen verschwamm.

Der Leutnant setzte sich neben den Toten. Er hielt die Geldscheine in seiner linken Hand. Mechanisch, ohne hinzusehen, begann er sie zu zählen.

Eine Minute verging. Dann knüpfte er sich selber den Waffenrock auf, so wie vorher dem Andern, nahm seinen ledernen Brustbeutel hervor, den er an einer Schnur um den Hals trug, und brachte das Geld darin unter.

Den Rückweg legte er nicht in gebückter Haltung zurück, wie sie vorgeschrieben und geboten[4] war. Er ging aufrecht und ging langsam. Aber auf einmal gaben seine Knie nach unter ihm, und er wäre beinahe gefallen. Sein Mund war voll Galle.

Schon ehe er anlangte, war er entschlossen, das Geld abzuliefern. Dann war kein Unglück geschehen. Es mußte ganz vernünftig erscheinen, daß er eine solche Summe nicht über Nacht bei ihrem starren Eigentümer zurückgelassen hatte, sondern sie in Sicherheit brachte, so daß das Geld auf dem üblichen Umwege über neutrale Stellen der Familie des Toten zugesendet werden konnte.

Aber als er die deutsche Stellung erreichte, fand er seine Abteilung im Aufbruch. Das Bataillon, dem er angehörte, hatte während des siegreichen Gefechts an diesem Tage unverhältnismäßige Verluste erlitten und war in eine rückwärtige Stellung kommandiert worden, um einige Tage Ruhe zu haben.

---

4 geboten: [here] *proper, appropriate*

Frische Mannschaften waren zum Ersatz bereits angelangt, ungeduldig, ihre Schlafplätze für die Nacht einzunehmen.

Kein Vorgesetzter war zur Stelle, dem Raumer seinen Fund hätte abliefern können. Er verschob es. Er hinterließ eine kurze Meldung über das negative Resultat seiner Suche und machte sich mit seinen Leuten auf den Weg nach dem Ruhequartier.

Bei schwarzer Nacht langten sie an. Es handelte sich um ein nur halb zerstörtes Dorf, von dem mehrere Häuser noch bewohnbar waren. In einem von ihnen fand er eine Anzahl Offiziere trinkend beisammen. Er kannte die meisten von ihnen. Man begrüßte ihn lärmend. Die Stimmung unter den Herren war sehr gehoben, denn niemand zweifelte daran, daß die neue Offensive Ludendorffs[5] den Durchbruch durch die alliierten Armeen und damit endlich den Sieg bringen würde. War nicht mit den Erfolgen des heutigen Tages der Anfang bereits gemacht? Gerüchte über eine Panikstimmung im alliierten Lager, über Zwistigkeiten zwischen den französischen, britischen und amerikanischen Generälen, wurden ausschweifend diskutiert.

Der Leutnant Michael Raumer begann damit, daß er zwei Weingläser voll schlechten Cognaks nacheinander hinunterstürzte. Aber das half ihm keineswegs. Er wußte, daß die Möglichkeit, sich zu seinem Fund zu bekennen, mit jeder Minute ferner rückte. Er wußte auch, daß irgend ein schreckliches Etwas in ihm dies Bekenntnis nicht wünschte. Daß er mit jedem Augenblick, der verstrich, bestimmter, unwiderruflicher, zum Verbrecher wurde.

Und ihm war schlecht. Sein ganzer Körper befand sich in krampfiger Anspannung, anfallsweise zogen ihm Schmerzen durch den Rücken und über die Lenden, sein Kinn war in ein Zittern geraten, das er nicht zu beherrschen vermochte, und manchmal schlugen seine Zähne gegeneinander.

---

[5] Ludendorff: General Erich Ludendorff was the chief "brain" of the German General Staff under Hindenburg, whose *Generalquartiermeister* he was after 1916. When his offensive of 1918 failed, he requested negotiations for a truce and was relieved of his post on October 26, 1918.

Sogar seinen betrunkenen oder halbbetrunkenen Kameraden fiel sein Zustand auf. Aber sie schoben ihn auf die Anstrengungen des Gefechtstags und auf das, was vorausgegangen war. Denn Raumer war seit über drei Wochen nicht einen Tag außer Aktion gewesen.

Er galt als ein besonders ruhiger und entschlossener junger Offizier und besaß alle Dekorationen, die seinem Rang erreichbar waren. Schon ehe er eintraf, hatte der älteste Herr hier im Kreise, ein hessischer[6] Major, andeutungsweise von einer Beförderung gesprochen, die Raumer erwartete. Zugleich mit dem höheren Dienstgrad würde ihm die Führung eines Bataillons übertragen werden. Die Nachricht war noch nicht offiziell, aber der Major glaubte sich berechtigt, sie heute schon bekanntzugeben. Dies tat er mit einer kleinen, heiter getönten Rede. Alle erhoben die Gläser und stießen auf Raumer an.

Der saß da, benommen und leer. Auch er hob sein Glas, aber seine Hand war so unsicher, daß er den halben Inhalt verschüttete. Sein Kopf glühte ihm und begann sich zu drehen. Er war unfähig, sich schicklich zu bedanken.

Man lachte gutmütig und blickte einander verständnisvoll an. Alle diese jungen Leute, die seit Monaten oder Jahren in der Nähe des Todes lebten, kannten diesen Zustand, der auch den Gefaßtesten nach bösen Tagen mitunter ereilte. Raumer hatte sich lange genug gehalten. Die paar Ruhetage jetzt würden ihm gut tun.

Er lag in dieser Nacht, zum ersten Mal seit längerer Zeit, in einem richtigen Bett. Es war ein breites, schmutziges Bauernbett, mit zerrissenem Leinen- und Deckenzeug. Nacht um Nacht hatten wechselnde Offiziere darin geschlafen, halb ausgekleidet, manche mit den gespornten Stiefeln an den Füßen.

Es stand noch ein zweites Bett in dem heißen, niedrigen Zimmer. Der Hauptmann, dem es zugewiesen war, warf sich krachend darauf nieder, nach zwei Minuten schnarchte er so laut, daß

---

6 hessischer: [adj.] *Hessian*

die geborstenen Fenster erbebten. Aber Raumer hätte ohnedies nicht schlafen können. Er lag halbwach, mit pressenden Schmerzen in Schläfen und Hinterkopf, hoch fiebernd bereits, und starrte nach rückwärts und nach vorwärts in sein Leben hinein, das er in einem Augenblick neu aufgebaut und zugleich zerstört hatte.

II

ER STAND SEIT FAST DREI JAHREN IM FELDE. EINEN VATER, AN DEM er hing, und eine junge Frau hatte er zurückgelassen.

Seit drei Generationen befand sich im Besitz der Raumers ein Exportgeschäft mit dem Hauptkontor in Berlin und mit Filialen in Hamburg und Bremen. Man arbeitete beinahe ausschließlich mit England und den englischen Kolonien. Es war kein Unternehmen vom größten Ausmaß, aber solide und angesehen, eines jener Geschäfte, auf denen der Wohlstand einer Familie unerschütterlich zu ruhen scheint.

An jenem denkwürdigen 4. August erfolgte die englische Kriegserklärung an Deutschland. Am Morgen des 5. August war die Firma Raumer und Söhne ruiniert. Jede Verbindung mit den Ländern ihres Handelsgebiets war zerschnitten. Die Gelder des Hauses, seit dreißig Jahren der Bank von England anvertraut, wurden sequestriert. Der alte Raumer – er war nicht sehr alt, kaum fünfzig – wurde von einer Stunde zur andern ein mindestens vorläufiger Bettler.

Der Schlag traf seine unbiegsame, starr rechtliche Natur besonders hart. Er, bei dem pedantische Erfüllung aller Verpflichtungen eine nervöse Besessenheit war, der noch nie die Rechnung eines Zigarrenlieferanten zwölf Stunden hatte liegen lassen, mußte sich zahlungsunfähig erklären. Sein Fall war einer von vielen, jedem verständlich, vom Staat unter Ausnahmerecht gestellt, auf seinen Ruf fiel kein Fleck.

Aber er fühlte sich aussätzig. Er führte sofort einen radikalen

Wandel in seinen Lebensumständen herbei. An die Stelle großbürgerlichen Behagens trat Dürftigkeit. Er schrieb sein schönes Haus im Berliner «Alten Westen,»[7] das sich sein Großvater erbaut hatte, zum Verkauf aus – ein Verkauf, der sich in so turbulenter Zeit als undurchführbar erwies, und bezog mit Frau und Sohn eine Dreizimmerwohnung in kümmerlicher Gegend.

Er sah die Zukunft schwarz in schwarz. Die Siegeszuversicht, die besonders im ersten Jahr prahlend lärmte, teilte er nicht einen Augenblick. Zu gut kannte er die unerschöpflichen moralischen und materiellen Reserven des Gegners, der da an jenem 4. August Deutschland erwachsen war. Er lachte verzweiflungsvoll über die Narren, die das «Krämervolk» und die «Handvoll Söldner»[8] bagatellisierten und «Vereine zur raschen Niederringung Englands» gründeten. Englischer Lebens- und Denkstil war der Polarstern seines Daseins gewesen, er sprach sogar lieber Englisch als Deutsch und war stolz auf seine englischen Freunde. Jetzt schlug seine Adoration in den leidenden Haß der Enttäuschung um. Ihm persönlich war dieser unbegreifliche Verrat angetan worden. Er faßte sich nicht.

Ein einziger Monat machte ihn zum alten Mann. Da er nichts zu tun hatte, saß er Tag aus Tag ein in dem engen Wohnzimmer und rauchte aus einer der Dunhillpfeifen, von denen er sich nicht hatte trennen können, billigen Tabak. Die geringen Barmittel, die zur Verfügung waren, hatte er unter seine Gläubiger verteilt – ungemahnt, zum Teil gegen ihren Widerspruch. So trat bald wirklicher Mangel ein. Er brach schroff jeden Umgang ab. Keinem Zuspruch, keinem verständigen Rat war er zugänglich.

Von seiner Frau hätte er auch schwerlich kommen können. Als er sie geheiratet hatte, eine anspruchsvoll erzogene junge Dame aus Hamburg, war sie eine Schönheit gewesen, von schlanker Figur, hochblond, großäugig, mit porzellanen schim-

---

7 Berliner "Alter Westen": *Berlin, West*, a fashionable section of Berlin, where many embassies and mansions of the rich were situated.

8 "Handvoll Söldner": *a bunch of mercenaries*. Similar disparaging slogans were applied to England by the German propaganda of World War I.

merndem Teint. Von gleichmäßig freundlichem Temperament und keineswegs über den Durchschnitt hinaus gescheit, hatte sie ihm 25 Jahre lang ein angenehmes Haus geführt und hatte seine Kinder solide und herkömmlich erzogen. Der neuen Situation stand sie ganz waffenlos gegenüber. Sie litt stark in ihrem sozialen Würdegefühl. Sie litt auch unter dem Mangel an Licht und Raum. Ihr Stolz und eigentlich ihre einzige Leidenschaft war ihr Blumengarten gewesen. Als sie ihn jetzt verlassen mußte, weinte sie tagelang. Ihre Gesundheit war niemals fest gewesen; wie bei vielen Blondinen ihres ätherischen Typus waren ihre Atmungsorgane wenig widerstandsfähig. Im ersten Kriegswinter schon begann sie zu kränkeln. Wahrscheinlich hätten in diesem Stadium ein paar Monate in Engadiner[9] Bergluft sie hergestellt; aber an solche Ausgaben konnte nicht gedacht werden.

Sie lebten zu dritt beisammen in der traurigen Wohnung. Eine Tochter, verheiratet an einen Frauenarzt in Köln, war als versorgt zu betrachten. Aber die Zukunft seines Sohnes marterte Raumer.

Michael war zwanzigjährig, als die Katastrophe erfolgte. Er stand in der Mitte seiner juristischen Studien. Nach erlangtem Doktorgrad sollte er, das war selbstverständlich, in die väterliche Firma eintreten. Nun fand er sich, mit einem Stoß,[10] aus der Bahn geschleudert.

Er war ein gelassener, über seine Jahre reifer Mensch, und er selber fühlte sich nicht entmutigt. Ohne Zögern machte er sich auf die Suche nach einem Broterwerb. Es war die Lage seiner Eltern, die ihn bekümmerte; am schmerzlichsten empfand er für den Vater, an dem er von Kindheit auf[11] mit bewundernder Liebe hing. Ihn sah er vor sich auf all seinen demütigenden Gängen treppauf treppab, und in dem leidenschaftlichen Wunsch, dem

---

9 Engadiner: *of Engadin*. The Swiss canton of Engadin is famous for its health resorts, especially for tubercular patients.

10 mit einem Stoß: *suddenly*
11 von Kindheit auf: *since childhood*

Vater wenigstens äußerlich Erleichterung zu bringen, nahm er schließlich einen Posten an, gegen den viel einzuwenden war.

Es schien, an und für sich, etwas Übliches. Er sollte für eine Versicherungsgesellschaft als Agent tätig sein. Man engagierte ihn dort, obwohl er keine speziellen Kenntnisse aufzuweisen hatte, einfach auf sein Äußeres und sein Auftreten, vielleicht auch auf seinen soliden Namen hin.[12]

Die «Necessitas» gehörte nicht zu dem Ring der alten, wohletablierten Anstalten, deren Name schon Vertrauen einflößt. Sie war noch keine fünf Jahre alt, und ihre Geschäftsgebarung war undurchsichtig. Nicht auf der Versicherung selbst, vielmehr auf der Beschaffung von Darlehen ruhte in ihrer Praxis das Hauptgewicht, die leichte Erlangbarkeit solcher Leihsummen wurde vor Abschluß des Vertrags den Kunden geradezu als Köder vorgehalten. Es gab da auch keine Enttäuschung; die bereits bezahlten und sogar die künftigen Prämien wurden bereitwillig beliehen. Aber die enormen Zinsen, die zu erlegen waren, erwiesen sich, zusammen mit Kommissionsgebühren und Sporteln, für den Kunden als ruinös. Blieb einer im Rückstand damit, so wurde seine Versicherung hinfällig. Und die Bedingungen, die er bei Abschluß unterschrieben hatte, in vielen Fällen ohne sie sorgsam zu prüfen, waren so kunstreich ausgesonnen und formuliert, daß bis jetzt wenigstens niemand vor Gericht einen Sieg über die Firma erstritten hatte.

Es war klar, daß sich der Kundenkreis der «Necessitas» weniger aus der zahlungsfähigen Geschäftswelt ergänzte als aus bedrohten Existenzen, Bürgern, die sich kämpfend in ihrer Klasse zu halten suchten, und denen auch gefährliche Mittel dazu recht sein mußten. Natürlich war es das Bestreben dieser Leute, vor dem Agenten der Firma zunächst unbekümmert, flott und zutrauenswürdig zu erscheinen. Michael nahm diese Haltung auch in den ersten Fällen auf Treu und Glauben hin. Aber er lernte rasch.

---
12 auf ... hin: *because of*

Bald sah er hinter der mühsam gehaltenen Fassade die geheime Angst und die verdeckte Gier, und erkannte oder ahnte doch, zu welcher Art von Geschäften seine Überzeugungskunst hier gebraucht wurde.

Aber er sah keine Möglichkeit zu entkommen. Zu Hause gestaltete sich die Situation immer finsterer; und die Provisionsquoten bei der «Necessitas» waren hoch.

Die eigentlichen Nutznießer und Drahtzieher der Gesellschaft blieben unsichtbar für ihn. Niemals erschienen sie in den ziemlich schäbigen Geschäftsräumen an der Dennewitz-Straße und befanden sich in diesen bedenklichen Zeiten meist im neutralen Ausland. Michaels unmittelbarer Vorgesetzter, der Mann, mit dem er es beinahe ausschließlich zu tun hatte, war ein Herr Leykauf – ominösen Namens,[13] wie es ihm gelegentlich vorkam. Er war ein Mann von unbestimmtem Alter, ziemlich klein und auffallend sehnig, mit einem polierten Habichtskopf, der nicht ohne elegante Besonderheit war. Seine Kenntnisse auf dem Gebiet der Versicherungs- und Darlehenspraxis waren umfassend, sie waren international, denn Herrn Leykaufs vergangenes Leben war bunt gewesen.

Er hatte, was er durchaus nicht verbarg, vielmehr zu erzählen liebte, in jungen Jahren im Zusammenhang mit einem zweifelhaften Bankerott acht Monate in einem sächsischen[14] Gefängnis gesessen und war dann außer Landes[15] gegangen. Er sprach alle lateinischen Sprachen, besonders aber Spanisch und Portugiesisch, mit Vollkommenheit und überraschte durch immer neue Anekdoten abenteuerlichen und erotischen Inhalts, die Süd- und Mittelamerika und die Inseln der Großen Antillen zum Schauplatz hatten.

Auf Cuba hatte er eines frühen Jahres geheiratet, eine Dame halbspanischen Ursprungs, die seither irgendwo zwischen den

---

13 ominösen Namens: *of* or *with an ominous name*. The literal translation of *Leykauf* means something like: *purchase on loan.*

14 sächsischen: *Saxonian*
15 außer Landes: *abroad*

Wendekreisen verschwunden war. Aber es war ihm aus dieser Ehe eine Tochter geblieben, Marion mit Namen, und diese junge Schönheit wurde, gleich als sie zum ersten Mal auftrat, Michael Raumers Herzensschicksal.

Er saß Leykauf am tannenen Schreibtisch gegenüber und legte seinen Rapport ab, als sie eintrat. An die umwerfende Wirkung ihrer Person mußte sie wohl gewöhnt sein, denn sie lächelte flüchtig und freundlich, als sie Michael um die Nasenwurzel weiß werden sah und ihn stammeln hörte.

Sie war noch nicht achtzehn und schon auf dem Höhepunkt ihrer Entwickelung. Ihr zarter und voller Körper, mittelgroß nur, bewegte sich mit einer sparsamen Grazie, deren sie sich bewußt war. Das schwach bräunliche[16] Gesicht wurde von zwei immensen, sehr hellen Augen beherrscht, die zuversichtlich und ein wenig zu unschuldig blickten. Und über einer schmalen und engen Stirn lagerte eine Mauer, ein Wall von starkem schwarzem Haar, abgründlich schwarz, wie eine Absage an alles Licht – und der Kontrast zwischen dieser drohenden Finsternis und dem lieblichen Oval mit den lichterfüllten Augen war ein unwiderstehlicher Reiz. Man hätte das Ganze makellos schön nennen müssen, wäre nicht zwischen dem feinen Näschen und dem oberen Lippenrand der Abstand zu kurz gewesen. Die Zusammendrängung, die so entstand, prägte dem betörenden Gesicht einen kleinlichen, unfreien Zug auf.

Michael war ein junger Mensch von gesunden, kräftigen Instinkten. Sein Sinn für das Normale und Bekennbare, der Einfluß seiner geordneten Umgebung, hatten ihn im Umgang mit Frauen zurückgehalten. Unerfahren war er nicht; aber sein Herz und im Grunde auch seine Sinne waren kaum berührt worden. Jetzt stürzte er in diese Leidenschaft wie in einen tiefen Brunnen. Sie umschloß ihn ganz. Und keinen Augenblick war es ihm zweifelhaft, daß sein Dasein nur in der Vereinigung mit diesem Mädchen noch einen Sinn haben würde.

---

16 schwach bräunliche: *slightly brown*

Es wurde ihm über Erwarten[17] leicht gemacht, ein Recht auf den Umgang mit ihr zu gewinnen. Möglich sogar, daß sie von der ernsthaften Unbedingtheit seines Werbens zunächst überrascht war. Aber mit der ganzen Schmiegsamkeit eines sehr weiblichen Naturells fand sie sich sogleich und gern zurecht. Wenn sie vordem etwa zur Anknüpfung leichterer Beziehungen disponiert gewesen sein mochte, so war das alsbald von ihr selber vergessen. Michael gefiel ihr, und am meisten gefiel ihr das Rückhaltlose seiner Anbetung. Es war schon nach wenigen Wochen selbstverständlich, daß sie Mann und Frau sein würden.

Unter normalen Umständen hätte eine solche Verbindung wahrscheinlich den Bruch Michaels mit seiner Familie bedeutet. Sein Wunsch schlug allem ins Gesicht, was hier Tradition gewesen war. Aber der einstige Träger dieser Tradition, der Vater, war ein gestürzter, sich in Haß und Unbegreifen verzehrender Mann, den sein Unglück in seinen eigenen Augen entwürdigte. So empfing er die neue Tochter mit abwesender Freundlichkeit und lehnte es nicht einmal ab, Herrn Leykaufs Habichtskopf sich am Tische gegenüber zu sehen. Michaels Mutter, hinschwindend in lichtloser Umgebung, war mit ihrem Zustand allzu gramvoll beschäftigt, um Widerstand aufzubringen.

Aber die Armut stand da als ein unübersteigbarer Wall. Michael unterhielt aus seinem unregelmäßigen Verdienst seine Eltern. Kein Hundertmarkschein ließ sich erübrigen. Von Leykauf war nichts zu erhoffen, das hatte er Michael bei erster Gelegenheit ungefragt und zynisch erklärt. Vermögen besaß er nicht, was er einnahm, ging auf Hasard und Frauen drauf, und diesen Gewohnheiten abzusagen, konnte ihm nicht in den Sinn kommen. Ein Mädchen von Marions Vorzügen brauchte keine Mitgift. War es ihre Laune, einen mittellosen Jüngling zu heiraten – in erster Ehe, wie Herr Leykauf es freundlich formulierte – so mochten die beiden sich einrichten, wie sie's vermochten.

---

17 über Erwarten: *beyond* or *against expectation*

So standen die Dinge, als Michael ein Jahr nach Kriegsausbruch zur Fahne gerufen wurde. Und nicht von ihm, von ihr ging der Vorschlag aus, vor seiner Ausreise zur Front sich trauen zu lassen. Sie hatte den ernsten und feurigen Jungen auf ihre Art liebgewonnen, sie sehnte sich nach seiner Umarmung, und sie wollte, daß er die Erinnerung daran in sein neues, gefährliches Leben mitnehmen sollte.

Es war eine der Kriegstrauungen, bei denen die Formalitäten wegfielen. Danach blieben ihnen zehn Tage. Diese zehn Tage banden Michael mit allen feinen und groben Strängen an diese Frau seines Lebens. Er genoß ein Glück ohne Maß. Einmal war der Krieg ja zu Ende – dann würde es ewig währen, das Glück.

Er bewährte sich da draußen. Er tat seine Pflicht und tat mehr. Nach acht Monaten war er Offizier. Von dem doppelten Kriegssold, den er bezog, sandte er die Hälfte seinen Eltern, die Hälfte seiner Frau. Er selbst behielt ein paar Pfennige für Zigaretten.

Im Februar 1916 starb in Berlin seine Mutter. Michael befand sich inmitten der Kämpfe um Verdun, und die Nachricht von ihrem Tode erreichte ihn erst, als sie schon in der Erde lag. Der Krieg schien niemals aufhören zu wollen. Michael las Marions Briefe und atmete sie ein, in der Hoffnung, einen Hauch der bräunlichen Hand zu spüren, die auf ihnen geruht hatte. Vorwürfe marterten ihn. Er hätte sich niemals nachgeben dürfen, sie nie an sich binden. Endete dieser Krieg und überlebte er ihn – so kam er heim als ein Bettler. Die spärlichen Nachrichten von seinem Vater zeigten einen zerfallenden Menschen. Michael träumte mitten in Tod und Verwüstung von Geld.

So war er zum Räuber geworden an einem toten Feind.

III

WÄHREND DER NACHT WURDE DER SCHNARCHENDE HAUPTMANN mehrmals aus seinem schweren Schlaf geweckt. Ein hohes, schrilles, seltsames Schreien weckte ihn auf. Als er es zum dritten

Male vernahm, machte er Licht und betrachtete seinen Zimmergenossen.

Raumer lag da mit weit offenen Augen, deren Pupillen unnatürlich groß erschienen. Zuckungen gingen über seinen Körper. Ohne Bewußtsein stieß er in Abständen jenes unheimliche Schreien aus.

Der Hauptmann zog seinen Rock an und machte sich, vorsichtig fluchend, auf, um den Stabsarzt zu holen. Der Stabsarzt war im übernächsten Haus einquartiert und kam gleich mit hinüber. Er befühlte Raumers Puls, fand ihn verlangsamt und unregelmäßig, er untersuchte seine Augen auf Lichtempfindlichkeit,[18] und es war keine vorhanden.

«Das sieht nach Meningitis aus,» stellte er fest, «muß morgen früh in ein anständiges Lazarett.»

Ganz leicht betastete er Raumers Kopf. Als seine Finger mit der Umgebung des rechten Ohrs in Berührung kamen, schrie der Kranke herzzerschneidend auf.

«Da kommt es her,» sagte der Arzt. «Wir können jetzt doch nichts tun. Versuchen Sie weiter zu schlafen, Herr Hauptmann.»

Eine schwere Affektion des Mittelohrs wurde auch im Divisionslazarett als Ursache der Erkrankung festgestellt; die Anstrengungen dieser jüngsten Zeit, nahm man an, hatten den Widerstand vollends niedergebrochen. Das war auch gewiß ganz korrekt. Wie oft aber flüchtet sich die gemarterte Seele in eine Krankheit.

Im Falle Michaels war diese Flucht vollkommen. Wochenlang lag er ohne Bewußtsein. Als er es wiedererlangte und die Augen aufmachte, saß seine Frau an seinem Lazarettbett. Der erste Ausdruck in seinen Augen war der einer glückseligen Überraschung. Der zweite der einer panischen Angst. Seine skeletthafte Hand tastete über seine Brust. Der Beutel war fort.

Er erholte sich langsamer, als die Ärzte erwarteten. Ging die Zimmertür auf, näherte sich irgend jemand seinem Lager, so

---

18 auf Lichtempfindlichkeit: *concerning* or *for sensitivity to light*

erschien in seinen Augen jener selbe wunde Ausdruck von Angst. Er erwartete jeden Augenblick angeklagt und degradiert zu werden. Als eines Nachmittags unvermutet der General erschien, der die Division kommandierte, war Michael vor Schreck unfähig, sich in den Kissen aufzurichten. Der General erkundigte sich nach seinem Ergehen und überbrachte eine Dekoration.

Nach diesem Tag lockerte sich die Anspannung in seinem Wesen. Die Gegenwart seiner Frau begann ihren Zauber auszuüben. Aber anfallsweise marterte ihn immer noch der Gedanke, daß sie vielleicht wußte. Was war verborgen auf dem Grund dieser hellen, immensen Augen?

Eines Tages faßte er sich ein Herz. «Wo hat man eigentlich meine Sachen hingebracht,» sagte er mit einer unnatürlich hohen, entstellten Stimme, «das Bildchen von dir, meine Uhr, meine Brieftasche?»

«Das ist sicher alles gut aufgehoben. Soll ich danach sehen?»

«Nein,» schrie er beinahe, «wozu denn!»

«Wozu? Du hast eben doch selbst –»

«Wozu brauche ich dein Bild, meine ich,» sagte er mit einem jammervollen Lächeln. «Jetzt hab' ich ja dich.»

Er hob seinen Arm, der muskellos, fast geisterhaft dünn war, und legte ihn um ihre Hüften.

Es schien ja wirklich, als verberge sie nichts. Aber konnte er sicher sein? Mitunter glaubte er, sie auf einem schlauen, wissenden Blick zu ertappen. War sie nicht schließlich[19] die Tochter ihres Vaters!

Es kam der Tag, da er auf schwachen Füßen sich wieder umherbewegte; es kam auch der, an dem er sich ermannte und nach seinen Habseligkeiten frug.

Der Unteroffizier, der im Lazarett Sekretärsdienst tat, führte ihn vor einen schmalen Schrank mit vielen Fächern, deren jedes durch Ziffer und Namen bezeichnet war.

---

19 schließlich: [here] *after all*

Michael schloß auf. Säuberlich lag hier alles beisammen. Der Brustbeutel sah aus, als hätte ihn niemand berührt. Er bezwang sich, ging und untersuchte den Inhalt erst, als er allein war.

Das Geld war da. Er zählte die Scheine, mit einem kratzenden Würgen im Hals. Es waren sechzehn. Also hatte doch jemand den Raub entdeckt. Denn als er das Geld nahm, waren es achtzehn gewesen.

Oder irrte er sich? Er hatte damals doch nachgezählt, in jener Mulde, neben dem Gefallenen. Aber schon war er seiner Sache nicht mehr gewiß. Nie würde er wieder gewiß sein. Nie würde er mit völliger Sicherheit wissen, ob er entdeckt war.

Seit dem Beginn seiner Krankheit waren zwei Monate vergangen. Man erklärte ihn für transportfähig. In kleinen Etappen, in einem Zustand kindhafter Schwäche, reiste er mit Marion nach Berlin zurück. Es war auch sonst eine deprimierende Reise. Noch hielt die Front. Aber über allen nach rückwärts gestaffelten Truppenteilen lag eine bleierne Starre der Hoffnungslosigkeit.

Man passierte die Grenze. Deutschland fror unterm Herbstregen. Von den Menschen, die auf den Bahnsteigen standen, lachte niemals einer. Sie sahen gramvoll und heruntergekommen aus. Das Ende war schon in der Luft.

IV

ZU ANFANG DES NEUEN JAHRES, NACHDEM ER SICH VOLLENDS erholt hatte, bot ihm die «Necessitas» seinen früheren Posten an. In der wirtschaftlich chaotischen Zeit, die dem Kriege folgte, florierte das Institut verdächtiger als je zuvor, und im Auftrag der stets unsichtbaren Chefs, die diese vier Jahre in St. Moritz[20] oder dem Haag[21] gesund überstanden hatten, stellte Herr Leykauf dem Schwiegersohn sogar erhöhte Bedingungen in Aussicht. Michael

---

20 St. Moritz: a luxurious health resort in Switzerland   21 der Haag: *The Hague* [in the Netherlands]

lehnte ab. Er sei entschlossen, möglichst rasch seine juristischen Studien abzuschließen.

«Da bin ich neugierig, wovon du diese Studien und zugleich euern Haushalt bestreiten willst. Früher – ja, kamen die Kriegshelden mit Beute aus dem Felde zurück, aber diese schönen Zeiten sind ja leider vorbei.»

Michael war unfähig, sofort zu erwidern. Er habe sich von Freunden ein Darlehen verschafft, sagte er dann, das reiche fürs Erste.[22] Herr Leykauf möge sich in keiner Weise beunruhigen.

Das lag Herrn Leykauf vollständig fern.[23] «Wie du meinst,» sagte er nur. Und sein sehniges Gesicht zeigte ein Lächeln, das nicht ironisch war, sondern anerkennend und spießgesellenhaft. Es war offenbar, daß er an die Geschichte von dem Freundesdarlehen nicht glaubte. Und da ihm ein krummer Weg immer als der natürlichste erschien, vermutete er Michael auf einem solchen begriffen, und nahm ihn mit seinem Lächeln gewissermaßen auf in seinen intimeren Kreis.

Diese Haltung behielt er auch bei. Etwas schleichend Vertrauliches trat in seinen Gesprächston ein. Michael hatte ein Gefühl dabei wie bei neckischen Rippenstößen. Er vermied seinen Schwiegervater, soviel er konnte.

Das war weiter nicht schwierig. Die berufliche Berührung fiel weg, und aufdringlich war der Sehnige nicht, er gab sich keineswegs als Familienmensch. Nicht fünfmal im Jahr betrat er die hübsche Wohnung, in der das Ehepaar nun mit Michaels Vater zusammen lebte.

Der alte Friedrich Raumer war von einer bittern Genugtuung erfüllt. Er hatte also doch Recht behalten.[24] Wie standen nach dieser Niederlage diejenigen da, die die Macht des geliebten und gehaßten britischen Weltreichs so albern unterschätzt und

---

22 fürs Erste: *for the time being*
23 Das lag ... fern: *Mr. Leykauf was far from being disturbed.*
24 Er hatte ... behalten: *He had been right after all.*

«Vereine zur raschen Niederringung Englands» gegründet hatten. Aber während bei all diesen Unwissenden der oberflächliche Zorn gegen das Inselvolk, die ganze «Gott strafe England»-Stimmung, längst verflogen und vergessen war, verharrte der alte Mann im zähen Haß enttäuschter Liebe.

Schon während des Krieges hatte er mit der Anlage einer gegen England gerichteten Dokumentensammlung begonnen. Sie sollte, chronologisch geordnet, alle Übergriffe, Ungerechtigkeiten, Vertragsbrüche enthalten, die von Briten im Lauf ihrer Kolonialgeschichte begangen worden waren. Mehr als 500 Folioseiten hatte er schon mit Excerpten angefüllt. Er verbrachte seine Vormittage auf der staatlichen Bibliothek, den Rest des Tages schreibend an seinem Tisch. So versunken war er in die Arbeit an diesem Anklagewerk, daß die unmittelbare Gegenwart, der Zusammenbruch des Landes, die Änderung seiner Staatsform, der Friedensschluß und seine Folgen, nur blasse Realität gewannen. Er wohnte den Ereignissen bei wie hinter einer dicken Glaswand.

Er fragte auch nicht danach, woher die Mittel kamen, die der kleinen Familie eine behagliche Existenz gestatteten. Er gab sich mit der oberflächlichen Erklärung seines Sohnes zufrieden und nahm die helle, komfortable Wohnung so gerne hin wie die Gegenwart seiner anmutigen Schwiegertochter. Der zweifelhafte Staatsvertrag, mit dem im Jahre 1757 Lord Clive den Inder Omichund[25] täuschte, hatte mehr Wirklichkeit für ihn, als all dies.

Er bemerkte auch kaum, daß sein Sohn seit der Rückkunft so viel ernster, stiller, älter erschien, als es seinen Jahren entsprochen hätte.

---

25 Lord Robert Clive (1725–1774), famous English general and statesman, founded British India. He cheated the rich Bengali trader Omichund, who was instrumental in negotiating a treaty in 1757, by letting him sign a copy in which important terms were deleted. This copy was substituted for the official document.

Wohl aber wurde Michaels Frau dessen gewahr. Sie hatte, gestand sie sich, einen andern Mann geheiratet als den, der ihr da aus dem Felde heimgekehrt war. Sie schob es, sehr natürlich, auf seine Krankheit. Wenige, hatte man ihr gesagt, überstehen eine Hirnhautentzündung ohne schweren Schaden. Sie fühlte Mitleid und Achtung. Aber es konnte nicht ausbleiben, daß sie bald auch Langeweile fühlte. Nicht wenig war in ihr vom brutalen Lebensdurst ihres Vaters. Und die Existenz zwischen den zwei Bücherfressern, wie sie die Raumers benannte, lastete auf ihrer Jugend, die so früh nicht resignieren wollte.

Denn Michael, in verbissener Leidenschaft, schien entschlossen, alles Versäumte in kürzester Zeit nachzuholen. Von den anderen Studierenden, die nach Mühsal und Gefahr sich zunächst einmal freudig ins wiedergewonnene Leben warfen, hob er sich eindrucksvoll ab. So fanatisch arbeitet nur einer, der unablenkbar einem bestimmten Ziel zueilt.

Sein trüber Ernst, sein Bedrücktsein, hatten mit der ausgestandenen Krankheit nichts zu tun. Er war völlig genesen. Niemand konnte er anvertrauen, worunter er litt, was er fürchtete. Seine schlimmsten Zeiten machte er durch, als die feindlichen Regierungen Listen der «Kriegsverbrecher» aufstellten, deren Bestrafung verlangt wurde. Mit zitternden Händen suchte er die Kolumnen ab. Immer erwartete er einen Nachtrag zu diesen Listen, immer die Vorladung vor irgend eine amtliche Stelle, Rechtfertigung abzulegen für seinen Raub am gefallenen Feind.

Nichts erfolgte. Unangefochten lebten er, sein Vater, seine Frau, von diesem geraubten Geld. Aller karge Komfort, den sie genossen, stammte aus dieser Quelle. Michael mußte vorsichtig zu Werke gehen. Er wechselte die Scheine in langen Abständen, niemals zwei an der selben Stelle. Und er hatte die beschämende Genugtuung, daß sie von Mal zu Mal wertvoller wurden, jedesmal erhielt er einen ansehnlicheren Betrag in deutschem Geld. Denn die Währung des Reichs war in stetigem Sinken –

in rascherem als die Frankreichs – so daß er also, zu allem hin, auch noch aus der niedergehenden Wirtschaft seines Vaterlandes Gewinn zog.

Im Augenblick, da das deutsche Geldsystem völlig zusammenbrach,[26] im vierten Jahr nach dem Friedensschluß, war der Raubschatz erschöpft. Aber genau bis zu diesem Zeitpunkt war diese Hilfe aus trüber Quelle auch nur nötig gewesen. Denn mit einem Mal war Michaels Vater wieder ein vermögender Mann. So lange hatte es gedauert, ehe die Bank von England ihm die beschlagnahmten Guthaben freigab.

Wohlhabend war er nun wieder im soliden Geld des gehaßten Landes. Nicht wohlhabend nur, sehr reich erschien er plötzlich mit seinen Pfunden, mitten im hektischen Ausverkauf der deutschen Inflation.

Genau damals war auch Michaels juristische Vorbereitungszeit zu Ende. Er saß im Amt, ein junger Kriminalrichter. Er verhörte Angeklagte und Zeugen, er verhängte Strafen, in Talar und Barett.

V

ES HATTE ZUERST VERWUNDERUNG ERREGT, ALS ER SICH SO ENT-schieden einem Gebiet zuwandte, das von ehrgeizigen Juristen vernachlässigt zu werden pflegt. Jedermann prophezeite ihm eine glanzvolle Karriere als Civiljurist, man sah ihn als Syndikus bei einem der großen Industrie-Konzerne oder als Anwalt mit hohem Einkommen. Die Aussichten für den Kriminalisten waren vergleichsweise karg.

Aber er kannte seinen Weg. Das zeigte sich, als er den Gegenstand für seine Dissertation zu wählen hatte. Sie wurde nicht eine der üblichen Broschüren – zwei Drittel Zitate, ein Drittel Auslegung – mit denen sich sonst die Studenten ihren Doktor-

---

26 The German inflation started right after the war, at first slowly, but then it grew rapidly until it reached its climax in 1923.

grad erschrieben. Sie war ein solides Buch und trug den Titel: «Beccaria[27] und sein Einfluß auf das Strafrecht in Frankreich und England.»

Unbekannte Fakten waren in Menge beigebracht, bisher übersehene Zusammenhänge bloßgelegt, aber hinter all der Genauigkeit war ein Höheres spürbar: humane Leidenschaft. Der italienische Jurist des 18. Jahrhunderts, der mit einer einzigen kleinen Schrift das Tor zugeschlagen hatte hinter mittelalterlicher Brutalität, er erstand in eindrucksvoller Größe. Als der Erste, der begriff, daß es wichtiger ist, Verbrechen zu hindern als Verbrecher zu strafen, und daß Folter, Todesstrafe und Konfiskation untaugliche und verwerfliche Mittel sind zur Selbstverteidigung der Gesellschaft. Im biographischen Teil des Buches schwang und tönte der Stil des jungen Juristen von verhaltener Passion der Verehrung.

Das Werk erregte Aufsehen, verschaffte dem Autor sofort einen Namen, wurde in mehrere Sprachen übersetzt. Und es war die eigentliche Ursache dafür, daß Raumer einen Richterposten in der Hauptstadt erhielt, statt zunächst irgendwo in trister Provinz, wie sonst üblich.

Da saß er, und es zogen in nie endender Prozession die Vergehen an der Schranke vorbei, für die das untere Gericht zuständig ist. An jedem Tag waren fünf, acht, zehn Fälle abzuurteilen – Diebstahl, Unterschlagung, Fälschung, Nötigung, Bedrohung, Körperverletzung. Schäbige Gier und schäbige Bosheit spülten gegen den Richtertisch.

Es gab kein Kollegium[28] hier, der eine Richter entschied. Meist war nicht einmal ein Verteidiger da. Mit einem gleichmäßigen Ernst, dem keine Gewöhnung etwas anhaben konnte, hörte Raumer die Anklage, vernahm die Zeugen, ließ er die Ange-

---

27 Beccaria: Cesare Beccaria (c. 1738–1794) was an Italian jurist and philosopher of law who fought for a humane concept of penal law and against capital punishment.

28 Kollegium: *panel of judges*. In most German courts, cases are tried by a panel of judges, with one in higher rank presiding. Raumer, however, is the only judge in his court.

schuldigten ihre Sache führen in den kurzen, armen Sätzen, wie sie das Volk spricht. Es schien jeder Fall neu für ihn, jeder der erste. Er nahm sich Zeit. War eine Sache geklärt und zum Spruche reif, so wußte er mehr von dem Schuldigen, seinem vergangenen Leben, den Trieben seines Herzens, als der selbst je zusammenfaßte und erfuhr, dumpf hintreibend in seinem bedrängten Alltag.

Es war nichts von Weichmut, von sentimentaler Herablassung, in Raumers Art, die Verhandlung zu führen. Aber diese Verbrecher im Kleinen,[29] die da, lügegewohnt und meist rückfällig, in das schmale, sachliche Gesicht aufblickten, sie wurden seltsam angerührt von einem Gefühl, dem sie nicht hätten Worte geben können, dem einer geheimen Identität. Dies Gesicht war so anders als die routinierten oder gelangweilten Masken, die ihnen sonst unterm Barett erschienen waren. Der junge Mann dort im hohen Stuhl, er wußte von ihnen. Ihn zu täuschen war schwer. Aber man war kaum versucht,[30] ihn zu täuschen. Die Urteile, die er verkündigte, nahmen sie anders hin als die, die wie bedruckte Streifen aus Automaten aus jenen anderen Mündern gefallen waren. Sie fühlten, daß er gerecht sein wollte – und also gerecht war, soweit[31] es Gerechtigkeit geben kann unter Menschen.

Sie fühlten auch, daß er zur Milde geneigt war. Er war es so sehr, daß zu früheren Zeiten, im Kaiserreich,[32] seine Vorgesetzten Anstoß genommen hätten. Aber die Republik, tastend und ihrer selbst ungewiß wie sie sonst war, bekannte sich in ihrer Rechtsübung zu neuen Tendenzen.[33] Kommissionen arbeiteten an einer Umgestaltung des Kriminalrechts und der Prozeßordnung. Schon jetzt war dem Richter freieres Ermessen vergönnt, Berücksichtigung mehr des Motivs als der Tat, tieferer Einblick war ihm zugetraut in Wert und Unwert menschlicher Seelen.

---

29 im Kleinen: *on a small scale*
30 man war kaum versucht: *they were hardly tempted*
31 soweit: *so far as*
32 Kaiserreich: The Second German Empire (1871–1918)
33 bekannte sich ... zu neuen Tendenzen: *professed new tendencies*

Es war ihm erlaubt, auch bei erwiesener Schuld das Strafmaß weit herabzusetzen. Das Mittel der Bewährungsfrist war in seine Hände gelegt: Strafen wurden aufgeschoben, und hielt ein Verurteilter sich untadelig durch eine gegebene Zeit, so war er endgültig frei. Dazu freilich mußten erst die Bedingungen geschaffen werden, unter denen es ihm leichter fiel, nicht wieder zu fehlen. So stellte natürliche Zusammenarbeit sich her zwischen den Organen der Rechtspflege und denen der Fürsorge.

Das alles stand erst in den Anfängen, reife Frucht war nur zu erwarten, wenn der Republik Zeit gegönnt war, um einen Stamm von Richtern und Verwaltern in dem neuen, freieren Geiste heranzuziehen. Sehr bald schon gab es Symptome dafür, daß ihr so viel Zeit nicht beschieden sein würde.

Und wie die Praxis der Rechtsprechung, begann man auch den Strafvollzug zu verbessern. Noch lag das Gefängniswesen im Finstern und Argen.[34] Mittelalterlicher Rache-Instinkt geisterte noch durch die Steinhöhlen der Zuchthäuser. Noch zeigte das Wachtpersonal allgemein den Typ des soldatischen Büttels, und die Direktoren, von deren Willkür allzuviel abhing, vielfach den Charakter von Fronvögten.

Hier tat die junge Republik gute Arbeit. Nicht die Gesellschaft zu rächen an dem, der ihre Spielregeln brach, war mehr die Maxime, sondern Erziehung, das Zurückführen des Ausbrechers in den normalen Blutkreislauf der Nation. Die düstersten Kerkerbauten verschwanden, Arbeit und Erholung der Sträflinge wurden vernunftgemäßer gestaltet, die sanitären Einrichtungen modernisiert, Vorschriften abgemildert, das Personal gründlich erneuert, die Inspektion der Anstalten häufiger und entschlossener ausgeübt.

Aber es fehlte an Juristen, die für diese Aufgaben neben wissenschaftlicher Eignung die persönliche mitbrachten. So konnte es kaum fehlen,[35] daß man auf den jungen Richter aufmerksam

---

34 lag ... im Finstern und Argen: *was backward and bad*

35 So konnte es kaum fehlen, daß ...: *So it could hardly fail to happen that ...*

wurde, der sich durch sein Buch und durch seine Amtsführung so entschieden qualifiziert hatte. Er wurde angefordert, versetzt und bald sprunghaft befördert. Mit zweiunddreißig Jahren war Raumer der erste Mann unter dem Chef des Strafvollzugswesens.

Auf seinem Arbeitstisch liefen die Akten zusammen aus allen Anstalten des Landes, die Monatsrapporte, Statistiken, Personallisten, Klagen. Sie wuchsen zu Türmen auf während seiner Inspektionsreisen. Denn die Hälfte manchen Monats, mitunter zwanzig Tage, war er abwesend von Berlin, die Provinzen durchreisend in seinem grauen Staatsautomobil, mit einem Chauffeur, der zugleich eine Art Sekretärsdienst[36] bei ihm tat. Schwertlin hieß der Mann. Er war ein schlauer und drolliger Schwabe.

Man liebte Raumer nicht in den Gefängnisbureaux. Auch die besten unter diesen Direktoren und Beamten fürchteten seine leidenschaftliche Genauigkeit. Er kannte jeden Wasserablauf in einer Zelle, jedes zu kleine Fenster. Er hatte die Höfe abgeschritten, auf denen die Sträflinge ihren Spaziergang vollführten. Er wußte, was mangelhaft war in ihren Arbeitssälen, Speiseräumen, Lazaretten. Seine Gaumennerven bewahrten den Geschmack ihrer Speisen, sein Gedächtnis den Ausdruck von aberhundert Gesichtern. Es kam häufig vor, daß er mit einem von ihnen eine Stunde lang sprach, während vor der Zelle die Beamten auf die Uhr sahen und Blicke wechselten. Und wieder wie einst bei Gericht fühlte jeder dieser Gefangenen, daß hier keine Entfernung, kein Abgrund war, daß ihm da auf der Pritsche ein Mann gegenübersaß, der wußte.

Als er von einer solchen Fahrt ins äußerste Schlesien[37] spät eines Nachts nach Berlin zurückkehrte, trat ihm auf der Treppe seine Frau entgegen, in Schwarz. Am Nachmittag war sein Vater gestorben. Man fand ihn am Schreibtisch über dem Manuskript

---

36 eine Art Sekretärsdienst: *some secretarial work*

37 ins äußerste Schlesien: *into the eastern part of Silesia* [near the border]

seines nie endenden Buchs gegen England. Die Herzattacke, die ihn getötet hatte, war so gewaltsam gewesen, daß ihm in der sich krampfenden Faust der Federhalter zerbrochen war. Man mußte das Stückchen Holz mühsam aus seinen Fingern lösen.

VI

SEIT DER ZURÜCKGEWINNUNG DES VERMÖGENS BEWOHNTE MAN wieder das Haus im «Alten Westen,» das in klassizistischer Zeit erbaute Familienhaus, weiträumig, kühl und repräsentativ, das fast ein Palais war. Seine Empfangsräume, die im Erdgeschoß lagen, gemahnten an die im Goethe'schen Hause am Weimarer Frauenplan.[38]

Sie wurden selten gebraucht. Michael hatte weder Zeit noch Neigung zu ausgreifender Geselligkeit, und Marion war als Hausherrin ohne Ehrgeiz. Persönlicher Luxus genügte ihr. Sie fühlte sich wohl in dem Appartement, das sie sich im ersten Stockwerk nach ihren Wünschen eingerichtet hatte: dem Wohnraum voll von chinesischen Spielereien, mit amüsanter Seidentapete, dem Schlafzimmer mit seinem Bett aus vergoldetem Korbgeflecht, dessen enorme Dimensionen sie allabendlich aufs Neue ergötzten, dem Ankleidekabinett, das ganz Spiegel war und in dessen gläsernem Toilettentisch sich zahllose Utensilien aus herrlichem blondem Schildpatt widerspiegelten. Eine verliebte, geradezu manische Pflege der eigenen Person füllte den größeren Teil ihrer Tage aus.

Man stieg einen Stock höher, um zu Michaels Wohnung zu gelangen. Sie bestand aus einem einzigen, sehr großen Raum, dessen vier Fenster auf die Rasenflächen und weißen Götterfiguren des Gartens hinaussahen. Hier verbrachte er beinahe alle

---

[38] Goethe's well-known patrician house in the city of Weimar was in a street named *Frauenplan*.

Stunden, die Amt und Reisen ihm übrig ließen. An dem langen, schmalen Arbeitstisch, der vor die beiden Mittelfenster gerückt war, entstanden in diesen Jahren zwischen 1926 und 1933 die Werke, die seinen Namen in der wissenschaftlichen Welt befestigten: «Neue Wege im Strafvollzug,» «Das Verbrechen und seine Verhütung,» «Selbstschutz der Gesellschaft,» und jenes vierte, das ihm auch über die Fachwelt hinaus internationale Bekanntheit einbrachte, der Band «Gewissen und Strafe.»

Streckte er sich um ein oder zwei Uhr morgens auf seinem Lager aus, so waren seine Gedanken meist noch in voller Bewegung, sodaß er nicht bald den Schlaf fand. Sie wandten sich von seiner Arbeit zu seinem persönlichen Leben, aber das änderte nicht ihre Richtung. Denn Beides war eins. Ein Augenblick hatte Beides bestimmt, jener nächtliche Augenblick, der nun ein Jahrzehnt zurücklag, in der Erdmulde vor Reims.

Die Wunde, die er seinem seelischen Organismus damals gerissen hatte, sie schloß sich nicht. Vielleicht wäre das anders gewesen, hätte er sein Vergehen wenigstens materiell gutmachen können. Noch immer war er der Besitzer jener sechzehntausend Francs, auf deren Raub alles aufgebaut worden war: Altersfriede seines Vaters, Behagen seiner Frau, seine Karriere, seine Arbeit, seine Wirkung. Nie hatte er versucht, das Geld zurückzuerstatten. In früheren Zeiten war er zu arm gewesen. Und jetzt vermochte er den Entschluß nicht zu fassen, aus Furcht vor Entdeckung.

Zweimal war er seit dem Krieg in Paris gewesen, einmal auf einer Ferienreise mit Marion, und einmal beruflich zu einem internationalen Kongreß. Immer nahm er sich vor, Erkundigungen einzuziehen über jene Familie de Borel-Corignan, der der beraubte Tote angehört hatte. Vor allem hätte er gewünscht zu erfahren, in welchen Umständen diese Menschen lebten. Denn der Gedanke hatte sich eingenistet in ihm, der Tote habe damals mit jenen sechzehntausend Francs einen Hauptteil seines Vermögens bei sich getragen, und unmündige oder kranke Erben seien im Elend zurückgeblieben. Die Vorstellung war jeder Wahrscheinlichkeit und Logik entgegengesetzt. Er wußte das auch. Dennoch kehrte sie wieder.

Doch es fehlte ihm der Mut zur Nachforschung. Es war nicht Furcht für ihn selbst. Eine Entdeckung hätte sein Leben zerstört – daran lag ihm nicht viel, ja ein geheimer Instinkt in ihm wünschte fast die Zerstörung. Aber all seine Arbeit wäre mitvernichtet gewesen, völlig entwertet, dem Gelächter preisgegeben.

Und es ging noch um mehr.[39] Die republikanische Ordnung, der er diente, war schon längst in Gefahr. Von allen Seiten brandete wütende Feindschaft gegen die freie Staats- und Lebensform an. Die Mächte der nationalen Vergangenheit belauerten gierig jede mögliche Blöße. Gerade das Departement der Justiz, das den Willen zur Reform am sichtbarsten ausdrückte, war das Ziel nie stockender Angriffe. Ein Richter und Verwaltungsbeamter von Raumers Rang, so ungeheuerlich kompromittiert, wäre für die Republik ein kaum zu heilendes Unglück gewesen. Denn er verhehlte sich nicht, daß seiner Tat für jeden, der nur die Oberfläche sah – und das waren alle – etwas besonders Finsteres, ja Abscheuliches anhaftete.

Dann kam er ein drittes Mal nach Paris, wieder als Delegierter zu einer Tagung. Am Morgen nach seiner Ankunft ließ er sich das Adreßbuch[40] der Stadt in sein Hotelzimmer hinaufbringen. Ehe er es aufschlug, schloß und riegelte er sich ein.

Der Name stand da. Er war nur einmal vertreten: de Borel-Corignan, René, 14 Rue St.-Simon. Das konnte der Vater sein, denn der Beraubte war jung gewesen. Oder war es ein Bruder, ein Vetter? Er konnte dem Verlangen nicht widerstehen, wenigstens sein Haus zu kennen. Unterwegs hatte er die Empfindung, als müsse jeder ihm ansehen, wohin er ging. Wie er von Pont de

---

39 es ging noch um mehr: *there was more at stake*
40 Adreßbuch: *city directory*. European cities regularly issue books listing the names and addresses of all residents. The addresses are always known because all citizens must register with the police.

la Concorde[41] her die linke Stadtseite betrat, hätte ihn vor der Deputiertenkammer beinahe ein Auto zu Boden gestoßen.

Der Weg war nicht weit. Er zuckte zusammen, wie er in der engen Straße die Nummer 14 erblickte.

Es war ein typisches Adelshaus aus dem Grand Siècle.[42] Das hohe, schwere Doppeltor war geschlossen. Aber durch das Gitterwerk einer Nebenpforte blickte Michael in einen Ehrenhof,[43] dessen Hintergrund das eigentliche Wohngebäude einnahm.

An der Front waren alle Läden niedergelassen; durch einen, ganz links im Erdgeschoß, schimmerte, jetzt gegen Mittag, künstliches Licht. Kein menschlicher Laut war zu hören. Aber auf dem runden Pflaster des Hofes spielte ein gelbes Kätzchen mit einem winzigen Ball, einem hohlen Bällchen aus Celluloid dem Geräusch nach.[44]

An Erben im Elend ließ dieses Ganze nicht denken.

Er schlief ein wenig besser in seinem schmalen Bett nach der Rückkehr von dieser Reise. Hatte er denn nicht das Seine getan, um die Schuld zu bezahlen – wenngleich nicht in französischen Bankscheinen? Er hatte gewacht und gewerkt und sich wenig Gutes verstattet und hatte zu seinem Teil dazu beigetragen, daß ein wenig mehr Verstehen und Gerechtigkeit und milder Geist in die Welt kam. Wäre er unbefleckt geblieben, sein Leben hätte sich anders gestaltet, leichter vermutlich, ertragreicher kaum. Aus seltsamen Wurzeln keimen die Früchte unsres Daseins.

Er hatte bezahlt, er zahlte noch täglich. Sein Lebensglück hatte er drangegeben. Mit einem jungen, ungebrochenen Mann hatte Marion ihre Ehe geschlossen, und ein im Herzen kranker, über sein Alter trüber Mensch war ihr aus jener Erdmulde in der Champagne zurückgekehrt. Er wußte oder glaubte doch, daß er unfähig sei, sie glücklich zu machen. Sie lebten als Fremde

---

41 Pont de la Concorde: bridge near the Place de la Concorde, a famous square
42 Grand Siècle: *Age of Louis* XIV, a period of grandeur in France
43 Ehrenhof: *stone yard* [of honor] *in front of a mansion*
44 dem Geräusch nach: *according to the sound*

nebeneinander in dem weitläufigen Haus. Es kam selten vor, daß sie auch nur nach seiner Tätigkeit fragte.

VII

LÄNGST WAREN SIE NICHT MEHR ALLEIN. SCHON KURZ NACH DEM Kriege war ihnen ein Sohn geboren worden, ein schönes Kind, in dessen Zügen sich die Merkmale des Vaters mit denen der Mutter wunderbar glücklich vereinigten. Er hatte Michaels Stirn und sein festes, proportioniertes Untergesicht. Aber die weiten hellen Augen waren Marions, von ihr kam das abgründlich dunkle Haar in seiner weichen Fülle und die trockene, schwach bräunliche Haut. Er hatte auch ihren Wuchs und ihre Bewegungen, aber die schlanken Hände und Füße gehörten dem Vater.

Er lernte spät sprechen, und auch als er sprach, blieb eine kleine Hemmung haften. Es war kein Stammeln, er bildete seine Laute völlig klar, aber mitten im Satz enstand mitunter ein Stocken, ein Zögern, so als horche er in sich hinein auf ein Diktat. Er lachte selten, und wenn er lächelte, so nahm nur sein Mund teil, die hellen Augen blieben ernst. An einem so jungen Geschöpf war diese Besonderheit ein ergreifender Reiz.

Marion war in den ersten Jahren eine leidenschaftliche Mutter gewesen. Sie liebte das Kind mit einer tierhaften Zärtlichkeit, so körperlich stürmisch, daß es Michael leise abstieß, ihn auch heimlich verwundete. Dies war Ersatz, er spürte es wohl. Aber als der kleine Andreas heranwuchs, änderte sich das. Die Zärtlichkeit verlor sich, beinahe von einem Tag auf den andern. So entlassen Tiermütter ihre Jungen im vorbestimmten Zeitpunkt aus ihrer Hut und kennen sie nicht mehr.

Michael hatte eine Regung der Freude zu bekämpfen, als er die Veränderung wahrnahm. Und für Andreas selbst bedeutete sie keinen Verlust. Die plötzlichen und wilden Liebkosungen seiner Mutter hatten ihn eher erschreckt als an sie gebunden.

Er war von frühem Beginn an in ungewöhnlichem Maß das

Kind seines Vaters. Seine höchste Freude, etwas was er sich als Belohnung versprechen ließ, war es, in Michaels Zimmer zu sitzen, während der arbeitete. Er hatte vielleicht ein Spielzeug im Schoß oder später ein Buch, aber er beschäftigte sich kaum, sondern schaute von seinem Sessel auf den ihm zugewendeten Rücken des Vaters und auf die Hand, die da schrieb.

Immer erinnerte sich Michael an eine Nacht, da er wachlag und plötzlich die Tür aufgehen sah. In ihrem Rahmen stand sein fünfjähriger Sohn. Michael drehte das Bettlicht an. Der Kleine kam auf ihn zu in seinem fußlangen, weißen Hemd.

«Das ist ja ein später Besuch, Andreas, was ist's denn?»

«Ich habe gewußt, Papa, daß du auch nicht schläfst,» sagte der Kleine. «Ich fürchte mich so.»

Er saß auf dem Bettrand. Michael nahm seine Hand. «Man soll sich nicht fürchten,» sagte er langsam, «der Ausweg steht offen.»

Es war keine Antwort, die ein Kind verstehen konnte, wahrscheinlich stammte sie aus den Gedanken, mit denen er wachgelegen hatte, ehe Andreas kam.

«Du hast nie Furcht, nicht wahr, Papa?» sagte Andreas mit einem Ausdruck in seiner Stimme, als redete er zu einem Gott.

Michael antwortete nicht sogleich. «Oft,» sagte er dann.

Es wurde nicht mehr gesprochen. Das Kind saß auf dem Bettrand und hielt seine Hand.

Marion sah ihren Sohn jetzt eigentlich nur bei den Mahlzeiten, und auch bei denen nicht immer, denn sie hielt sie nicht ein. Ihre Lebensführung hatte sich geändert. Der träge Zauber ihres Appartements genügte ihr nicht mehr. Sie begann mit Neugier nach außen zu leben. Immer häufiger kam es vor, daß sie zwei, drei Tage abwesend war, auf Wochenend-Fahrten mit Leuten, die Michael wenig kannte, oder als Gast auf einem Besitz an einem der märkischen Seen.[45] Jahrelang hatte sie ihren

---

[45] märkische Seen: Berlin is surrounded by lakes, especially in the northern and northwestern districts, which are called *Die Mark*.

Vater kaum gesehen. Auch das wurde anders. Oftmals sah Michael jetzt den Wagen des alten Leykauf vorm Haus halten, um Marion abzuholen.

Die «Necessitas» prosperierte seit einiger Zeit ganz augenfällig. Sie hatte neue prunkvolle Räume an der Leipziger-Straße[46] bezogen und wurde gelegentlich im Zusammenhang mit ernsthaften Geldinstituten genannt. Auch Herrn Leykaufs persönliche Umstände hatten sich erfreulich gehoben. Da er erfolgreich gewesen war, verfügte er ziemlich selbständig über die Finanzmittel der Gesellschaft und begann, mehr und mehr seine eigenen, ganz privaten Geschäfte zu treiben.

Diese Geschäfte waren weniger kompliziert als die der «Necessitas,» sauberer waren sie darum nicht. Es gab eigentlich nur das simple Wort Wucher für sie.

Leykaufs Spezialität waren junge Leute aus wohlhabenden Häusern, die es müde waren, auf ihr Erbe zu warten. Die Zinsen waren gewaltig. Sicherheit wurde nicht verlangt. Dafür aber diktierte er den Geldbedürftigen listig ersonnene Erklärungen in die Feder, die besser waren als jede Sicherheit. Denn sie enthielten so lügenhafte Angaben, daß der Unterzeichner unfehlbar wegen Betrugs verurteilt worden wäre, hätte Herr Leykauf sich je zu gerichtlicher Klage gezwungen gesehen. Das Ganze war eine Praxis, die eigentlich nicht mehr so recht in diese Periode akuter Kapitalsauflösung[47] paßte; trotzdem ernährte sie noch immer prächtig ihren Mann.

Mit präzisem Stilgefühl hatte er dem unzeitgemäßen Gewerbe auch sein äußeres Leben angepaßt. Er installierte und gab sich wie einer der großen Geldverleiher vom Ende des vorigen Jahrhunderts.

Die Großgörschen-Straße lag in ehemals vornehmer, jetzt gesunkener Gegend. Hier hatte er eine geräumige Parterrewohnung von etwas muffiger Eleganz inne. Trat man ein, so

---

46 Leipziger-Straße: a prominent business street with elegant stores

47 The period of the world depression, 1929 and 1930

streckte einem im Vestibül eine jener verschollenen Mohrenfiguren mit Plüschdraperie auf polierten Armen die Visitkartenschale entgegen. Bewegliche Vorhänge aus Bambusstäben hingen in jedem Türrahmen und fielen hinter dem, der passierte, mit neckischem Klappern zusammen. Nur zum Schlafzimmer führte eine verschließbare Tür, und das war gut so, denn Herrn Leykaufs erotischer Appetit war mit den Jahren kaum schwächer geworden.

Sein Wagen, den Michael mitunter warten sah, war kein Automobil. Er war ein braunes Coupé, mit brauner, gesteppter Seide gepolstert, gezogen von zwei isabellfarbenen kleinen Pferden, die weiße Mähnen und Schweife hatten. Ein zartbraun livrierter Kutscher saß auf dem Bock.

Ein zweites Gefährt dieser Art gab es schwerlich im motorisierten Berlin von 1930. Es wirkte solid, anheimelnd altmodisch, und unbestimmt fremdartig dabei. Erinnerungen aus Herrn Leykaufs bewegter Jugendzeit waren sicherlich mit im Spiel. So mochte ein Zuckerplantagen-Besitzer auf Cuba zum Ecarté[48] in seinen Club fahren.

Der Wagen fiel auf, bald war er bekannt. Bei seinem langsamen Dahinrollen hatten die Spaziergänger im Tiergarten[49] Zeit, sich zu fragen, wer dieser sehnig elegante Herr mit dem Habichtskopf sein mochte, der da, so tadellos angetan, ein Rohr mit goldenem Knauf in den bekleideten Händen, sich lächelnd dahintragen ließ. Sehr oft wurde an seiner Seite eine jüngere, üppig anziehende Dame gesehen, mit der er sich angeregt unterhielt.

Besonders bei Pferderennen erschienen die Beiden zusammen, Herr Leykauf ganz im traditionellen Grau, den grauen Zylinder auf dem rassigen Haupt, den Feldstecher vor den Augen. Lächelnd unterrichtete er seine Begleiterin über die jagenden Chancen.[50] Niemand hätte sie für Vater und Tochter gehalten. Dies war für

---

48 Ecarté: a card game
49 Tiergarten: name of a large park in the city, near the *Alter Westen* section, where Michael had his house

50 die jagenden Chancen: *the betting chances*

jedermann ein wohlhabender älterer Herr, der sich eine reizende Geliebte hielt. Traf man auf Bekannte aus Raumers Kreis, die also Bescheid wußten, so waren sie unbestimmt skandalisiert. Eigentlich, so fühlten diese Bekannten, wäre es ihre Pflicht gewesen, Raumer zu warnen – aber warnen wovor denn?

Das Ende kam unerwartet. Von einer längeren Dienstfahrt nach Hause zurückkehrend, fand Michael den Brief vor, der es ihm ankündigte. Es war ein seltsam steifes und wortkarges Billett in Marions unentwickelter Schrift, die ihn einst draußen im Felde so sehr gerührt hatte. Marion war seit Tagen fort. Ihre Wohnung im ersten Stock lag leer und aufgeräumt wie ein unbenutztes Hotelappartement. Sie hatte sehr sorgfältig eingepackt.

Er wollte kaum wissen, erfuhr aber natürlich doch, wem sie gefolgt war. Bei Gelegenheit eines Tennistourniers in einem der Clubs am Wannsee,[51] einem fashionablen Ereignis, dem sie mit ihrem Vater beiwohnte, hatte sie sich Hals über Kopf in einen der Spieler verliebt. Es war ein häßlicher, leicht grünhäutiger Herr von portugiesischer Abkunft – Louis Carvalho, der Name hatte in der Tenniswelt seinen Klang. Marions spät aufbrechender Leidenschaft war nicht zu widerstehen, sie übertrug sich. Dem Portugiesen hatte einfach der Kopf geschwindelt. Beim Diner, auf der Terrasse am See, suchten die Beiden einander mit solchen Blicken, daß die Anwesenden betreten zur Seite schauten.

Am andern Tag, dem dritten, der im Tournier die Entscheidungen brachte, spielte Carvalho tief unter seinem Niveau, er verlor seinen Vorsprung, schnitt elend ab. Es war eine Sensation in der Sportwelt. Aber Senhor Carvalho warf befreit seinen Schläger beiseite. Er hatte bereits telegraphisch zwei Schiffskabinen nach Rio bestellt.

Michael beschleunigte die Scheidung. Er ließ Marion durch seinen Anwalt schreiben, sehr viel großzügiger, als es den legalen

---

[51] Wannsee: a suburban lake, to the west of Berlin, famous for fashionable residences and clubs

Umständen entsprach. Er selbst schrieb kein Wort. Er erwähnte sie niemals. Die Zimmer im ersten Stockwerk verschloß er. Am liebsten hätte er die Türen zugemauert.

Es konnte nicht fehlen, daß Gerüchte in die Öffentlichkeit tropften. Die regierungsfeindliche Presse griff sie auf. Notizen erschienen. Der «Völkische Beobachter,»[52] das Organ jenes Adolf Hitler, dessen Partei seit Jahren als Sturmbock gegen die Republik bezahlt wurde, veröffentlichte sogar einen Leitartikel unter dem etwas sinnleeren Titel «Der Paragraphensumpf.»[53] Raumer bekam das alles ins Haus geschickt. Er las keine Zeile.

Aber sechs Monate nach Marions Fortgang waren die Zeitungen voll vom Zusammenbruch der «Necessitas,» einer Unterschlagungs-Betrugs- und Erpressungs-Affaire von bestürzendem Ausmaß. Es gab hunderte von Geschädigten. Die Geschäftsräume der Gesellschaft wurden versiegelt, die Inhaber verhaftet, einer in Berlin, der andere in Pontresina.[54] Das selbe Los, selbstverständlich, traf Herrn Leykauf.

Diesmal brachen Verdächtigung und Verleumdung stromweise gegen Raumer heran. Die wenn auch gelöste Familienverbindung[55] eines hohen Justizfunktionärs mit dem habichtsköpfigen Volksbetrüger und Wucherer, dessen Portrait alle Blätter brachten, wurde gründlich gegen die Regierung ausgenutzt.

Es gab Anfragen im Parlament. Michael bot seinen Rücktritt an. Aber der Chef des Vollzugswesens[56] deckte und hielt seinen besten Mann. Schließlich trat auch der Minister[57] hervor, mit

---

52 "Völkischer Beobachter": *The People's Observer*, the official Nazi party newspaper
53 "Der Paragraphensumpf": [lit.] *morass of paragraphs*, a Nazi slander directed against the liberal formulation of the divorce laws during the "decadent" Weimar Republic
54 Pontresina: a famous mountain health resort in Switzerland
55 Die wenn auch gelöste Familienverbindung: *The close family relationship, although it no longer existed*
56 Chef des Vollzugswesens: *Chief of the Executive Division in the Department of Justice* [charged with supervision of the penal system]
57 der Minister: *the Minister of Justice* [equivalent to the Attorney-General in the United States]

einer entschiedenen, vorbehaltslosen Rede. Es blieb an Raumers Rock von der Schmutzflut kein Tropfen haften.

VIII

DEN WINTER 1932 AUF '33 VERBRACHTE ER FAST GANZ IN BERLIN. Seine Arbeit in der Zentrale[58] häufte sich und ließ nicht viel Zeit für Reisen. Aber als aus einem Zuchthaus der Provinz Brandenburg, das nur drei Stunden enfernt lag, in rascher Folge beunruhigende Rapporte einliefen, wurde er entsandt.

In dieser Anstalt befanden sich seit Kurzem eine Anzahl Mitglieder der Partei Adolf Hitlers, die wegen Mordes und wegen Beihilfe zum Mord an sozialistischen Arbeitern zu langen Strafen verurteilt waren. Diese fanatisierten Rowdies wurden von ihrer Partei keineswegs als Verbrecher betrachtet, sie wurden vielmehr ganz öffentlich als Heroen und Märtyrer gefeiert und sahen sich selber natürlich im gleichen Licht. Überzeugt, daß der Sieg ihres Abgotts und damit der Tag ihrer Befreiung nah bevorstehe, benahmen sie sich höchst aufsässig, fanden Wege, ihre Anstaltsgenossen aufzuhetzen, und stießen auch offenbar – hier begnügten die Rapporte sich mit Andeutungen – auf Sympathien bei einem Teil des Wachtpersonals.

Im eisigen Januar fuhr Raumer hin und verbrachte mehrere Tage mit Untersuchung und Beratung. Er hatte sich vorgenommen, jeden der 150 Gefangenen einzeln zu sprechen und sich auch das Personal Mann für Mann anzusehen.

Als er am vierten Abend mit seiner Aufgabe beinahe zu Ende war, wurde eine Zelle vor ihm aufgeschlossen, als deren Inhaber er von der Schwelle aus Herrn Leykauf erkannte.

Er zögerte einen Augenblick. Dann zog er die Zellentür hinter sich zu.

Herr Leykauf stand inmitten des Raums, genau unter der

---

58 die Zentrale: *the main office*

elektrischen Birne, die von der Decke niederhing. Ihr Licht brach sich scharf auf seinem polierten Schädel. Noch in der groben Zuchthaustracht wirkte er adretter als die Anderen, beinahe elegant. Und er hatte es fertig gebracht, spiegelnd rasiert zu sein.

Er lächelte. Vermutlich hatte er im Arbeitssaal von dieser Inspektion erfahren – und auch wer sie vornahm. Denn er genoß seinen Effekt. Mit einer Geste, als böte er im Bureau einem Klienten einen Sessel an, deutete er auf den einen vorhandenen Schemel. Raumer blieb stehen.

Eine Namensliste der Sträflinge war ihm nicht vorgelegt worden, und er hatte nichts von Leykaufs Hiersein gewußt. Sein Schreck war heftig gewesen. Nun zwang er sich in seine Rolle. Er maß dem Gefangenen ein erkennendes Nicken zu und stellte ohne Übergang die gewohnten Fragen. Gab die Verpflegung in der Anstalt zu Bemerkungen[59] Anlaß? die Art der Beschäftigung? die Behandlung durch das Dienstpersonal?[60]

«Alles äußerst zufriedenstellend,» erklärte Leykauf. Und im Tone leichter Konversation fuhr er fort: «Ich muß gestehen, Herr Staatsrat, daß ich Ihrer Tätigkeit immer etwas skeptisch gegenübergestanden habe. Aber da war ich im Irrtum. Fünfundzwanzig Jahre sind es jetzt her, seit ich zum letzten Mal in Haft saß. Es war ein simples Gefängnis dort, kein Zuchthaus. Dennoch, was für ein Unterschied! Damals lag alles im Argen. Nein, alle Achtung,[61] da hat die republikanische Verwaltung wirklich Schönes geleistet.»

Es lag etwas Faszinierendes in dieser Anerkennung, die offener Hohn war, in Leykaufs ganzer frecher und zynischer Pose. Raumer brachte es nicht fertig, wie es richtig gewesen wäre, sich umzudrehen und zu gehen.

«Also kein Anlaß zur Klage,» hörte er sich selbst konstatieren.

«Nicht der geringste. Schließlich, nicht wahr, muß man bereit sein, zu zahlen. Wie Sie wissen, Herr Staatsrat, ist es niemals mein

---

59 Bermerkungen: *remarks;* [here] *complaints*
60 Dienstpersonal: *prison personnel*
61 alle Achtung: [here] *my compliments!*

Ehrgeiz gewesen, ein einwandfreies Mitglied der menschlichen Gesellschaft zu sein. Mein Leben lang habe ich getan, was mir paßte. Und bin trotzdem während meiner besten Zeit frei herumgelaufen, ein Vierteljahrhundert lang. Da kann ich mich nicht beschweren, wenn es mich schließlich erwischt hat. Ce sont les risques du métier.[62] Wollen Sie nicht doch Platz nehmen, Herr Staatsrat?»

«Lassen Sie diesen Titel,» sagte Raumer.

Aber er setzte sich. Er fühlte sich todmüde und schwer benommen. Was ihm hier geschah, das war mehr als ein peinliches Abenteuer, mehr auch als Zufall. Hier stand in Gestalt seines einstigen Schwiegervaters der Gesetzbrecher aus Überzeugung,[63] der Outcast ohne Gewissen ihm gegenüber – ihm, dessen ganzes Dasein von einer Gewissenswunde bestimmt worden war.

Er sagte: «Sie nehmen Ihre Strafe mit einer gewissen Billigung hin. Das ist jedenfalls vernünftig. Zu vier Jahren sind Sie verurteilt, wenn ich nicht irre?»

«Ganz recht,» sagte Leykauf. «Eine adäquate Bezahlung. Dabei scheint es mir nicht einmal sicher, daß ich diese vier Jahre werde verbüßen müssen. Wir leben in schwankender Zeit. Veränderungen sind im Anmarsch. Und man hat seine Beziehungen zu denen, die da marschieren.»

«So? Kamen während Ihres Prozesses nicht gerade von dorther die heftigsten Angriffe?»

«Die galten wohl eher Ihnen,» sagte Leykauf frech.

Er war ausgezeichneter Dinge.[64] Michael war überzeugt, daß dieser Übeltäter sein erschwindeltes und erpreßtes Geld in guter Sicherheit hatte. Am Tage nach seiner Entlassung würde er sich nach einem behaglichen Ruheort für seinen Lebensabend umschauen.

Monströse Einzelheiten aus Leykaufs Prozeß wurden lebendig

---

62 Ce sont les risques du métier: [French] *Those are the risks of one's profession.*

63 Gesetzbrecher aus Überzeugung: *confirmed criminal*

64 ausgezeichneter Dinge: *in high spirits*

in Michael. Und er konnte sich nicht enthalten, eine Frage zu stellen, auf die er die Antwort doch kannte.

«Sagen Sie einmal – in der Verhandlung gegen Ihre Gesellschaft und gegen Sie selbst sind dreihundert Opfer festgestellt worden. Ich weiß nicht, wie viele davon auf Ihr Konto kommen. Jedenfalls, in einer Unzahl von Fällen haben Sie unschuldige Menschen bestohlen, haben Lebenshoffnungen vernichtet, Glück zerstört. Wie ist das eigentlich – zählt das garnicht für Sie?»

Leykauf hatte begonnen, behaglich in seiner Zelle auf und ab zu spazieren, die dank[65] der Fürsorge der Regierung groß genug dafür war. Man sah ihm an, daß er gern die Hände in die Hosentaschen gesteckt haben würde, aber sein Anzug hatte keine Taschen.

«Wir sind da verschiedener Auffassung,» begann er. «Von diesen dreihundert Leuten oder wieviel es nun waren, hätte jeder einzelne ebenso gerne mich erpreßt oder betrogen, wenn er es nur gekonnt und gewagt hätte. Sie gehen, lieber Raumer, von der Auffassung aus, daß der Mensch von Natur zum Guten geneigt sei, zur Schonung, zur Rücksicht auf seinen Nächsten. Dieser Ansicht müssen Sie ja auch sein, sonst hätten Sie Ihre Tätigkeit nicht ausüben können, sie wäre sinnlos gewesen. Für Sie ist das Verbrechen eine Anomalie, eine Krankheit, die zu heilende Ausnahme.[66] Meine Erfahrung hat mich da Andres gelehrt. Heben Sie doch einmal Polizei und Gerichte auf für vierzehn Tage und sehen, was dann geschieht. Irgend ein Schriftsteller hat gesagt, es gebe niemand, der für hundert Taler zum Dieb geworden ist, der nicht lieber für die Hälfte ein ehrlicher Mensch geblieben wäre. Ich halte das für reichlich optimistisch. Aber wir werden ja sehen. Die wohlbekannte Partei,[67] gegen die sich Ihre Republik mit so unzulänglichen Mitteln wehrt, wird, wenn nicht alles trügt, sehr bald an der Macht sein.[68] Für ihre

---

65 dank: *thanks to*
66 die zu heilende Ausnahme: [gerund] *the exception that ought to be healed*
67 He refers to the Nazi Party.
68 an der Macht sein: *to be in power, to come to power*

Mitglieder werden dann in der Tat Polizei und Gericht nicht mehr existieren, mindestens nicht für einige Zeit. Das ist den Leuten versprochen. Da werden wir einen erstaunlichen Karneval erleben, glauben Sie mir. Von der angeborenen Güte des Menschenherzens, die Sie supponieren, wird nicht sehr viel sichtbar sein.»

Von draußen kam ein forciertes Hüsteln.[69] Es waren die Beamten vor der Zellentür, die über Gebühr lang[70] warteten.

Raumer stand auf. Der Sträfling nickte ihm aufmunternd zu.

«Das war eigentlich das erste vernünftige Gespräch,» sagte er frisch, «das wir Beide jemals geführt haben. Mit Ihnen war ja nichts anzufangen. Ja einmal, eine Zeit lang, habe ich geglaubt, es würde anders. Wie Sie damals aus dem Felde heimkamen, Michael, da war etwas vorgegangen mit Ihnen. Sie waren noch krank, ziemlich elend, und trotzdem lebendiger. Ihr Tugendpanzer hatte einen Sprung. Geld hatten Sie urplötzlich auch. Sie erzählten was von einem Freundschaftsdarlehen. Ich dachte mir, das sei Schwindel und etwas Interessanteres stecke dahinter. Direkt anziehend wirkten Sie damals. Es war aber nichts damit. Im Gegenteil – stolz und trocken und rechtlich wandelten Sie weiter den schmalen Pfad. Das ärgerte mich. Niemand irrt sich gern. Und es tat mir auch sonst leid. Denn daß Sie, mein Lieber, nicht der richtige Mann sein konnten für ein Geschöpf wie Marion – –»

Raumer pochte gegen die Zellentür. Augenblicklich wurde ihm aufgetan.

---

69 forciertes Hüsteln: [here] *a faked slight coughing*   70 über Gebühr lang: *unusually (improperly) long*

IX

HERRN LEYKAUFS POLITISCHE VORAUSSAGEN ERFÜLLTEN SICH RASCH und genau.

Der Monat war noch nicht um, da wurde der Häuptling der nationalistischen Horden von verblendeten Intriganten[71] in das Amt des Kanzlers geschoben.[72] Und wieder nach einem Monat brannte der Reichstagspalast.[73]

Raumers Haus lag nahe der Stelle. Er sah die Flammen zum Nachthimmel auflecken, hörte den erlogenen Bericht, und verstand.[74] In diesen Flammen versank seine Rechtswelt.

Herrn Leykaufs «erstaunlicher Karneval» setzte ein. Die Straße war frei für die Banden. Polizei und Gerichte existierten nicht mehr für sie. Polizei und Gericht waren sie selbst, Totschlag, Folterung, Raub ihre staatlich gebilligte Praxis. «Meine Maßnahmen werden nicht angekränkelt sein durch juristische Bedenken,» verkündete Hitlers oberster Handlanger,[75] «ich habe keine Gerechtigkeit zu üben, sondern zu vernichten und auszurotten.»

Für einen, dessen Sendung es war, Gerechtigkeit zu üben und Strafe menschlich zu gestalten, war Ausharren sinnlos. Der Minister, dem Raumer unterstanden hatte, der Abteilungschef, dessen rechter Arm er gewesen war, hatten längst resigniert. Er wurde ermahnt, bedrängt, beschworen, ihrem Beispiel zu folgen. Aber pünktlich an jedem Morgen erschien er und begann rück-

---

71 Chiefly Franz von Papen, who enjoyed the confidence of President von Hindenburg
72 Hitler became chancellor on January 30, 1933.
73 Reichstagspalast: *Reichstag* (parliament) *Building*. It was situated in the fashionable government district near Raumer's house.

74 The Reichstag Building was burned by the Nazis in order to provide them with a legal pretext to forbid the propaganda of the left-wing parties for the coming election. The Communists were blamed for the fire, and thousands of political enemies of the regime were killed or jailed.
75 Hermann Göring in his capacity as *Ministerpräsident* of Prussia.

ständige Fälle aufzuarbeiten. Denn neue Berichte aus den Provinzen liefen nur spärlich noch ein; und die kamen, offenbarten das Chaos. Überall öffneten sich die Zuchthaustore für die Gefolgsleute der neuen Herrschaft, nicht für politische Gefangene nur, auch für gemeine Verbrecher. Herr Leykauf zum Beispiel, dessen hielt er sich überzeugt,[76] war längst schon frei und im ungestörten Genuß seines Raubschatzes.

Es war nicht allein Stolz, und etwas Besseres als Eigensinn, was Raumer auf seinem Platze hielt. Er «bezahlte» noch immer. Er verbot sich, die hohen Beamten der Republik zu kritisieren, die ohne viel Widerstand ihre Posten verlassen hatten.[77] Die standen nicht unterm selben Gesetz!

An einem Vormittag Ende März, einige Minuten vor dem Glockenschlag, war er im Begriff, um die Ecke seines Amtsgebäudes zu biegen. Da vertrat ihm, aus einer Seitentür, Schwertlin den Weg, der Chauffeur und Sekretär, der ihn so oft auf seinen Fahrten begleitet hatte. Er trug Parteiuniform.[78]

«Bitte, Herr Staatsrat!» sagte er dringend und hielt vor Raumer die kleine Pforte offen. Sie traten ein. Fahrräder lehnten in dem halbdunkeln Gang zu beiden Seiten an der Wand.

«Ich wußte garnicht, daß Sie dazugehören,» sagte Raumer.

«Schon seit acht Jahren,» antwortete dieser Brotgänger der Republik. «Wir kleinen Leute müssen das Gras wachsen hören.»

Er sprach sein breitestes Schwäbisch, aber es klang nicht sehr komisch im Augenblick.

«Herr Staatsrat, Ihr Bureau ist durchsucht worden. Alle Akten sind weggeschafft. Es wird sich empfehlen, daß Sie heute noch abreisen.»

---

76 dessen hielt er sich überzeugt: *of that he was convinced*

77 This was particularly true of Otto Braun, Minister-President of Prussia, and Karl Severing, Prussian Minister of the Interior, both leading Social Democrats in the Weimar Republic.

78 Parteiuniform: *party uniform,* a brown shirt with an arm insignia of a swastika

«Danke,» sagte Raumer. «Bringen Sie sich nicht selbst in Gefahr mit Ihren Ratschlägen?»

Der Mann lächelte. «Sie würden niemals meinen Namen nennen, Herr Staatsrat. Darf ich mich noch gehorsamst bedanken für alle Nachsicht und Freundlichkeit, die mir Herr Staatsrat erzeigt haben.»

Raumer kehrte nach Hause zurück. Als er die Tür zu seinem Zimmer öffnete, sah er Andreas in jenem Sessel, von dem aus er so oft dem Vater zugeschaut hatte.

Andreas war etwas blasser als gewöhnlich. Unter seinem linken Auge zeigte sich ein breiter blutunterlaufener Fleck. Ein wenig stockend wie immer, aber ganz gelassen, berichtete er.

Als er um acht Uhr morgens sein Gymnasium[79] betreten wollte, war er von zwei Leuten mit Armbinden erwartet und zur Vernehmung in eine Kaserne gebracht worden. Das Verhör trug freundlichen, beinahe schmeichlerischen Charakter. Man befragte Andreas über den Umgang seines Vaters, wollte vor allem wissen, ob der und jener Abgeordnete dazu gehört habe.

«Was hast du geantwortet?»

«Daß du wenig Verkehr pflegst, und daß deine ganze Zeit deiner Arbeit gehört hat. Dann stand einer der Leute auf, ein Höherer[80] offenbar mit allerlei Abzeichen, legte mir die Hand auf die Schulter und hielt mir eine Rede über die vaterländischen Pflichten eines jungen Deutschen. Aber sie wußten eigentlich nicht recht, was sie mit mir anfangen sollten, und ich durfte bald gehen.»

«Und das da?» Michael deutete auf den blutunterlaufenen Fleck.

Andreas zuckte die Achseln. «Ein Uniformierter brachte mich hinaus. Ehe er mich auf die Straße ließ, schlug er mir mit der Faust ins Gesicht, mehr so nebenbei,[81] nicht mit besonderer

---

79 Gymnasium: *the most famous and severe type of German high school, with Greek and Latin as the essential foreign languages*

80 ein Höherer: *a higher party official*

81 mehr so nebenbei: *not deliberately but rather casually*

Kraft. Es tat nicht sehr weh. Ich war nachher erstaunt, wie farbig es aussah.»

Er stand aufrecht da, ernsthaft und schön, eigentümlich rührend mit der wunden Stelle in seinem Gesicht. Mit seinen dreizehn Jahren war er fast so groß wie sein Vater.

Raumer begann vor ihm auf- und abzuwandern. Mehrmals durchmaß er den großen Raum.

In diesen Minuten nahm er Abschied von seinem bisherigen Leben. Er nahm Abschied von dem Tisch, an dem er gewacht hatte für Ideen, die nun in Scherben am Boden lagen, von den Büchern, die er geliebt hatte, vom Lager seiner unruhvollen Nächte, er warf auch einen Blick hinaus auf den Garten mit seinen Grasflächen und Götterfiguren. Er faßte seine Entschlüsse, wie er so wanderte. Sein Sohn stand bewegungslos vor dem Sessel, in zusammengenommener Haltung, wie ein junger Soldat. Raumer machte endlich Halt vor ihm.

«Höre – du nimmst einen Koffer, eine große Handtasche. Packe nur einen Anzug ein, aber ziemlich viel Wäsche. Zwei Paar Schuhe. Nur wenig Bücher. Einen Paß hast du wohl nicht?»

«Letzten Sommer habe ich einen bekommen, vor der Reise nach Genf.»[82]

«Jetzt ist es elf. Um zwei wartest du auf mich am Bahnhof Gesundbrunnen,[83] im Wartesaal dritter Klasse. Wenn ich um fünf noch nicht da bin, mach keine Dummheiten. Geh nicht nach Hause zurück. Sondern fahre nach Köln[84] zu meiner Schwester. Du weißt die Adresse?»

«Hohenstaufenring 18.»

Raumer gab ihm Geld in die Hand. «Sprich mit niemand. Trag deinen Koffer selber zum Taxistand.»

---

82 Genf: *Geneva* [in Switzerland]
83 Bahnhof Gesundbrunnen: a railroad station in the northern Berlin district of *Gesundbrunnen*, second stop for outgoing trains, where the Gestapo was less likely to look for Raumer
84 Köln: *Cologne*

«Soll ich für dich nicht auch packen, Papa?»

«Waschzeug in deine Tasche, sonst nichts.»

Er blickte Andreas an und legte ihm mit zärtlichem Druck einen Augenblick den Arm um die Schultern.

Zehn Minuten später betrat er das Bankhaus an der Taubenstraße, das seine Gelder verwaltete, und ließ sich zum Senior der Firma führen. Es war ein jüdischer Herr mit kurzem grauem Bart und sehr dicken Gläsern vor den kranken Augen, melancholisch und würdevoll.

«Bodenheimer,» sagte Raumer ohne Einleitung, «wie viel sind sechzehntausend Goldfrancs in der heutigen Währung?»

Der Bankier nannte die Summe.

«Und wie viel davon kann ich legal mitnehmen ins Ausland?»

«Ohne ganz spezielle Erlaubnis so gut wie nichts.»

«Diese sechzehntausend Francs muß ich haben. Und ein bißchen darüber, so daß es für einen oder zwei Monate reicht.»

Der Andere musterte ihn durch die dicken Linsen. «Es ist beinahe unmöglich,» sagte er langsam.

«Beinahe! Sie haben Ihre Niederlassungen in Brüssel[85] und Zürich. Glauben Sie mir, Bodenheimer, ich spreche diese Bitte nicht leichtfertig aus.»

Der Bankier überlegte. Seine Korrespondenz nach dem Ausland wurde streng überwacht. Einen Vertrauensmann nach Brüssel zu schicken – selbst das schloß nicht jede Gefahr aus. Aber er war kein ängstlicher Mann. Er war alt, überdrüssig des Ganzen. Raumer hatte er immer bewundert. Auch war er ein frommer Jude, und Treue war ihm kein leeres Wort.

«Pittoreske Epoche,» sagte er langsam. «Ich kann mir vorstellen, wie ein Deutscher Ihres Schlags sie empfindet. Also gut, Raumer, am Freitag werden Sie in Brüssel den Gegenwert von zwanzigtausend Goldfrancs vorfinden. Banque de Paris et des Pays-Bas, Rue des Colonies. Soll ich es aufschreiben?»

«Sie tun da etwas Großes, Wichtiges für mich, Bodenheimer. Wolle der Himmel ich kann es einmal vergelten.»

---

85 Brüssel: *Brussels*

«Dafür könnte Gelegenheit sein. Wie lange wird es dauern, dann schließen die mir hier die Schmiede[86] zu. Brechung der jüdischen Zinsknechtschaft!»[87] Er lachte. «Einfälle haben die Leute. Wissen Sie, wie lange unser Haus hier besteht? Seit Friedrich Wilhelm dem Vierten,[88] 1845.»

Raumer hatte nichts mehr zu verrichten in Berlin. Schon war er ein Fremder in der Stadt, in der er sein Leben zugebracht hatte. Langsam ging er durch häßliche Straßenzüge auf den Bahnhof Gesundbrunnen zu. Vor der Zeit langte er an und fand seinen Sohn an der verabredeten Stelle, aufrecht sitzend auf der Holzbank, eine Hand um den Griff der Reisetasche geschlossen.

Er gebrauchte die Vorsicht – und wohl tat er daran[89] – keinen der Expreßzüge zu benützen, die von Berlin ausgehen. Auf Vorortbahnen fuhren sie erst in der Richtung nach Norden, dann wieder süd-östlich, stiegen abermals um, und machten bei sinkender Nacht in einer kleinen Stadt der Provinz Brandenburg Halt. Erst als sie die Station verließen, auf dem Weg durch das Städtchen, kam es Raumer zum Bewußtsein, daß dies das Ziel seiner letzten Inspektionsfahrt gewesen war. Etwas abseits, zur Linken, ragte das Zuchthaus auf. Er trug Sorge, den Gasthof zu meiden, in dem er damals genächtigt hatte. Es lag ein finsterer Humor in dieser Wiederkehr.

Früh brachen sie auf. In kleinen Etappen, immer Lokalzüge benutzend, gelangten sie durch Hannover und Oldenburg an die niederländische Grenze.[90]

Es war eine kleine Station oben im Norden. Hier erschien alles ganz friedlich. Noch reichte das Greifwerk der neuen Machtmaschine[91] nicht bis hierher. Ein einziger Beamter tat oberflächlichen Dienst. Als er im Paß den tönenden Titel las, legte er die

---

86 die Schmiede: *the forge;* [here] *business in general*
87 Nazi propaganda slogan. The abolishment of capital interest was one of the 23 points of the official party program. It was, of course, never carried out.
88 King Frederick William IV of Prussia
89 und wohl tat er daran: *and he did well by it*
90 niederländische Grenze: *Dutch border*
91 das Greifwerk der neuen Machtmaschine: *the reach of the new power machine* (Nazi)

Hand an den Mützenrand und fragte nach nichts. Raumer hätte jedes Vermögen in seiner Tasche mitnehmen können.

Es wurde schon wieder Abend. Das holländische Züglein schaukelte weich durch das flache, morastige Grenzland der Provinz Groningen.

X

SIE VERLIESSEN DAS KLEINE, BILLIGE HOTEL MIT DER SCHIEFEN Fassade, das nicht weit vom linken Flußufer[92] lag, mit dem Ausblick auf Notre Dame de Paris. Um das ewige Doppelfragment ihrer Türme[93] schwebte durchsichtiger Morgennebel. Ein erster schöner Frühlingstag kündigte sich an.

In der Nacht erst waren sie angekommen. Raumer hatte sich vorgesetzt, seinen Weg nach dem Adelshause in der Rue St.-Simon keine Stunde unnötig aufzuschieben. Die Bezahlung der Schuld sollte sein erster Schritt sein in die neue Existenz.

Aber es war noch zu früh. Vor elf konnte er sich schicklicher Weise[94] nicht anmelden lassen. So führte er Andreas vom Ufer weg die Rue St.-Jacques hinauf.

Die uralte Straße war zu dieser Vormittagsstunde voll Leben. Studierende, hundertweise, strebten ihren Hörsälen zu. Eine unbestimmte Freudigkeit, wie Hoffnung und Vertrauen auf etwas Gutes, wehte in der noch kühlen Luft.

Er hatte Andreas im Gehen den Arm um die Schultern gelegt, mit einer Bewegung, die er vor jenen Abschiedsminuten in seinem Studierzimmer nicht gekannt hatte. So war er jetzt überall mit ihm durch die Straßen gegangen, in Utrecht, in Antwerpen, in Brüssel. Andreas hielt sich ganz gerade dabei, es war, als drücke sein Körper eine ehrfürchtige Dankbarkeit aus, er

---

92 linken Flußufer: *the left bank of the Seine*
93 The two towers of the Cathedral of Notre Dame were never completed.
94 schicklicher Weise: *according to proper custom*

wagte kaum die Schultern zu bewegen. Seine Zuneigung zum Vater hatte sich in diesen Tagen der Flucht noch leidenschaftlich gesteigert. Manchmal widerstand er schwer[95] einem Antrieb, ihm die Hände zu küssen – die empfindliche Hand, der er schon als kleines Kind zugesehen hatte, wie sie schreibend über das Blatt hinging. Aber er wußte natürlich, daß man solch einem Antrieb nicht nachgab.

Er blickte an den grauen Fronten empor. Es waren die alten Wissensburgen,[96] zwischen denen sie schritten, zur Linken das Collège de France, zur Rechten die Sorbonne. Andreas spürte voraus, daß der Vater jetzt sprechen würde. Und er sprach auch.

«Schau dich nur um, Andreas, und setz deinen Fuß mit Bedacht auf den Boden, auf dem wir gehen. Der Boden ist heilig. Es ist die älteste Straße von Paris – sie war da, ehe die Stadt selber noch da war – von den Hügeln dort kommt sie, geht über den Fluß und wieder zu den Hügeln hinauf. Und es hat seinen Sinn, daß diese alten Schulen sie einsäumen, wo überlieferte Weisheit gelehrt wird. Denn dies ist der Weg, auf dem die Römer gekommen sind. Sie kamen in das wilde Land als ein eisernes Heer, um es mit Gewalt zu befrieden. Aber sie rodeten Wälder, bauten Städte, brachen den Boden, brachten Weizen und Wein. Und mit ihnen kam auf dieser Straße etwas Andres von Süden her: die menschliche Regel, die Ordnung aus Einsicht. Auf dieser Straße, Andreas, kam das Recht.»

Er hatte leise gesprochen, aber mit einer Art Feierlichkeit, wie er sie an sich selber nicht kannte. Feierlich war ihm zu Mut. Dies war ein Beginn. Hinter ihm lag in blutigen Dünsten sein Vaterland. Dort wurde, im Ausbruch vorweltlicher Triebe, verhöhnt und zertreten, was der Sinn seines Lebens war, alles was er eben beim Namen genannt[97] hatte. Es lag in der Logik der Dinge,

---

95 schwer: *with difficulty*
96 Wissensburgen: *castles of learning*. The Sorbonne is one of the oldest universities in Europe.
97 beim Namen genannt: *named, expressed*

daß man ihn ausstieß. Getrost ging er mit seinem Kind auf der alten Straße.

Von den Glockentürmen schlug es zehn. Sie bogen hinüber zum Platz und standen vorm Panthéon.[98]

Andreas Blick umfaßte den Säulenvorbau und ging hinauf zur Majestät dieser Kuppel. Dann las er unsicher, stockend die Inschrift:

«Aux grands hommes la patrie reconnaissante.»[99]

Raumer sagte: «In dem Lande hier wirst du leben, Andreas, jahrelang, vielleicht viele Jahre lang. Da sollst du gleich am ersten Tag wissen, was das für ein Land ist. Aber dazu muß man zu den Gräbern hinabsteigen.»

Drinnen in der feierlichen Halle gab es zu dieser Stunde keine Besucher. Beim Zugang zu den Gewölben kam ihnen der Wächter entgegen und bot sich an, sie zu führen. Michael fand den Mann ab, und er ließ sie allein.

Da ruhten sie also unterm gemeißelten Stein, Frankreichs Denker und Künstler, Forscher und Schriftsteller, seine Staatsmänner, Redner, Entdecker, Soldaten, die einer Stätte würdig befunden waren im Ehrensaal der Nation.

Raumer führte seinen Sohn an den Toten vorbei. Schweigend wie er las er die Inschriften. Aber vor einigen blieb er stehen.

«Der hier liegt, Andreas, der war weltberühmt. Kaiser und Fürsten schrieben ihm Briefe, pilgerten zu ihm, bettelten um seinen Rat. Er war ein Schriftsteller und ein sehr eitler Mensch, beifallsgierig, schlau und neidisch. Und er liebte das Geld. Du kannst das aus seinem Gesicht ablesen hier an dem Standbild. Er war auch eigentlich kein besonderer Held, bei mehreren Anlässen hatte er sich ziemlich feige benommen. Aber dann geschah dies: eine Bürgerfamilie im Süden irgendwo wurde des Mordes angeklagt. Sie hatten den Mord nicht begangen, ihre Unschuld

---

98 Panthéon: In the original Greek the word means a building dedicated to the worship of all the gods. The Panthéon in Paris was built (1764–1791) as a shrine to the memory of famous Frenchmen.

99 Aux grands hommes la patrie reconnaissante: [French] *The grateful fatherland to its great men*

war klar. Aber sie waren Protestanten. Sie wurden gefoltert, und die katholischen Richter verurteilten sie. Dem Vater wurden auf dem Rade die Glieder gebrochen, sein Sohn wurde auf ewig[100] verbannt. Da schrie die verzweifelte Mutter zu dem, der hier liegt, und der hörte den Schrei. Der Ehrgeizige vergaß seinen Ehrgeiz, die Briefe der Fürsten ließ er liegen, er dachte auch nicht mehr an Geld. Er wußte nur noch, daß Unrecht geschehen war. Drei Jahre seines weltberühmten Lebens setzte er an den Fall. Gegen ihn standen die Richter von Frankreich, die Kirche, die Räte des Königs, der König selbst. Aber er wurde Herr über alle. Das Urteil wurde endlich zerbrochen, es wurde gesühnt, was zu sühnen war. Recht wurde Recht, durch ihn ganz allein. Darum, Andreas, nicht seiner Verse und Schauspiele wegen, ruht der Schriftsteller Voltaire in dieser Gruft.»

«Dieser hier unten war nicht berühmt. Er saß im Parlament unter den Abgeordneten und hatte wie alle die Verfassung beschworen. Das hatte auch der Präsident der Republik getan. Aber der brach den Eid. Sein Name, Louis-Napoleon, machte ihn eidbrüchig. Er ließ seine Truppen marschieren. Es floß viel Blut. Der Mann hier stand mit dem Volk auf der Barrikade. Eine Waffe trug er nicht. Er hielt in der Hand die Verfassungsurkunde der französischen Republik, das beschworene Recht. So traf ihn die Kugel. Darum liegt der Abgeordnete Baudin bei den Großen seiner Nation.»

«Gegen den gleichen Feind hat dieser Tote gekämpft. Wie Voltaire war er ein Schriftsteller, ihm ähnlich an Erfolgsucht und an Erfolg. Das warf er alles hin, als Louis-Napoleon der Republik an die Gurgel ging. Mit den Keulenschlägen seines mächtigen Worts hämmerte er ein auf den Räuber der Freiheit. Er unterlag. Er ging ins Exil. Neunzehn Jahre vergingen ihm auf einer Insel im Ozean. Er vermochte Rechtsbruch und Eidbruch nicht zu ertragen. Nicht deshalb allein, aber deshalb zumeist, schläft hier Victor Hugo.»

---

100 auf ewig: *forever*

«Dieser hier, Andreas, ist noch nicht lange tot. Mein Vater hat ihn noch mehrmals gesehen. Und du hast sicher selbst von dem jüdischen Hauptmann gehört – ja, Dreyfus – den sie wegen Hochverrats unschuldig verurteilt hatten. Manche wußten auch, daß er unschuldig war. Aber ihre Stimmen drangen nicht durch. Und als sie sich an Emile Zola um Hilfe wandten, da wollte der erst nicht. Er stellte sich taub. In Millionen von Bänden wurden seine vielen Bücher auf der ganzen Erde gelesen – in allen hatte er für Gerechtigkeit gekämpft. Er hatte genug getan. Endlich einmal wollte er sich's wohl sein lassen. Er war müde, beinahe schon alt. Aber es ließ ihn nicht los. Das Unrecht schwärte in seinem Blut. Er wollte schweigen, aber er konnte es nicht. Und so sprach er. Er klagte sie alle an, Minister und Generäle, die vor dem furchtbaren Kerker Wache hielten. Die Antwort war ein tausendstimmiger Wutschrei. Vorbei war's mit Ehrenstellung und Altersfrieden. Er selbst wurde angeklagt. Sein Leben kam in Gefahr. Aber Recht geschah. Bei Trommelschlag, unter der Fahne, mußten sie dem jüdischen Hauptmann die Ehre zurückgeben. Als einer, der es nicht fertig brachte, zum Unrecht zu schweigen, liegt Emile Zola in diesem Grab.»

Als sie aus dem Gewölbe hervortraten, blieb Andreas stehen. Er war bleich, viel bleicher als damals, als ihm der Uniformierte mit der Faust ins Gesicht geschlagen hatte.

«Vater,» sagte er, «so ein Panthéon nicht wahr, solch eine Ehrengruft, das gibt es in Deutschland nicht?»

«Nein,» sagte Raumer, «das gibt es noch nicht.»

XI

AUF DEM WEGE ZUR RUE ST.-SIMON, DEN SIE FAST SCHWEIGEND zurücklegten, befragte sich Raumer noch einmal selbst und prüfte sich. Heute zurückzugeben, was jenem Toten gehört hatte, war es notwendig, war eigentlich noch Sinn darin?

Sein Vergehen lag weit zurück, in verdämmerter Zeit. Trieb ihn wirklich noch lebendige Gewissensnot an, nicht einfach Pedanterie und stolzer Starrsinn?

Wem würde er diese Geldsumme heimzahlen? Großnichten und Neffen wahrscheinlich, für die der Tote gar kein Begriff mehr war. Vergessen, zerfallen lag er in seinem Grab, nur die metallenen Knöpfe von seiner Uniform waren übrig.

War es denn auch nur recht, was er vorhatte? Schwierig und bedrängt würde das neue Dasein sich anlassen. Er würde schon Mühe haben, Andreas vor Mangel zu bewahren, in zu jungen Jahren würde der spüren, was Sorge ist.

Aber schon wußte er auch, daß für Andreas mehr auf dem Spiele stand als Behagen. Er hatte keine Mutter, keinen Freund, keine Heimat – ihn ganz allein. Der Glaube an den Vater war Wein und Brot dieses Herzens. Für ihn mußte Raumer frei von Schuld sein, ohne Last und Rückstand und trübes Geheimnis. Es war keine Marotte. Notwendigkeit war es.

Dann blieb Glück möglich. Noch war er nicht alt, fühlte sich fähig zu wirken, vieles noch hatte er auszusprechen. Auch ohne äußere Hoffnungen war er nicht, sein Name hatte einen Klang in der Welt. Und einmal kam ja der Tag, da richtete sein eigenes Volk sich auf aus dem Rücksturz ins vorweltlich Wüste und nahm seinen Platz wieder ein im Ring der Gesetzesvölker. Dann, er durfte sich's sagen, brauchte und rief man ihn. Er war dann wohl grau, und Andreas ein Mann. Und eines Tages würde er zu ihm sprechen, würde ihm die ganze Wahrheit seines Lebens entdecken: die Schande, die Qualen, die Mühsal, die Opfer – und wie er endlich auch in guten Banknoten bezahlt hatte, im Augenblick, als es am schwersten war. Und er würde aufrecht dastehen vor dem Freund und Sohn.

Sie waren angelangt. Er hieß Andreas auf einer Caféhaus-Terrasse warten und bog vom Boulevard in die enge Straße ein. Er hatte sich eine kleine Geschichte zurechtgelegt, um jene

Adressen in Erfahrung zu bringen.[101] Und morgen dann, auf unverfänglichem Wege, würde er tilgen, was da zu tilgen war.

Das schwere Doppeltor, das er kannte, wurde ihm aufgetan. Ein grauhaariger Pförtner musterte mißfällig den Fremden, der da zu Fuß anlangte, und wies ihn über den Hof. Wieder waren an der Front alle Läden niedergelassen, und durch den einen, ganz links im Parterre, schimmerte künstliches Licht.

Er stieg die drei Stufen hinauf. Ein Diener, alt auch er, in Schurz und gestreifter Weste, trug seine Karte davon. Er hatte zu warten. Dann wurde er durch tiefdämmerige Zimmer in jenen Eckraum geführt, der erhellt war. Es brannten zwei Stehlampen. Der Herr Marquis werde alsbald erscheinen, versprach tonlos der Diener und ließ ihn allein.

Der Salon mußte, so wie er war, im Beginn des 18. Jahrhunderts möbliert worden sein. Alles erschien zeitfern und weltfern. Am Boden die Farben des Aubussons[102] waren völlig erloschen. Raumer blieb vor einem großen Gemälde stehen, das die Mitte der einen Wand einnahm. Es zeigte einen vornehm und eigensinnig aussehenden Herrn, offiziell gekleidet, mit einem breiten blauen Ordensband über der Brust. Es war Karl der Zehnte, letzter legitimer König von Frankreich.

Das gedämpfte Aufstoßen eines Stocks wurde hörbar. Raumer wandte sich um.

Die Persönlichkeit, der er sich gegenüber sah, wirkte, als komme sie vom Hof jenes Königs, der vor hundert Jahren gestorben war. Klein von Statur war dieser Uralte, tief gebeugt und körperlos leicht. Vor den Augen, die selbst dieses abgedämpfte Licht nicht aushielten, trug er eine graue Brille von ganz verschollener Form. Die Stimme klang wie das Zirpen einer Spieluhr. Er hatte Raumers Karte in der Hand.

---

101 Raumer had made up a story in order to find out the names and addresses of the legal heirs to whom he intended to pay back the 16000 francs on the following day.

102 Aubusson: a French city famous for tapestry. A carpet with a design which shows a complete painting is called an Aubusson carpet.

Der Besucher brachte sein Anliegen vor. Es lag seinem Auftraggeber daran, die Rechtsnachfolger des im Jahre 1918 verstorbenen Hauptmanns Charles de Borel-Corignan zu ermitteln.[103]

«Rechtsnachfolger,» wiederholte die zirpende Stimme. «Nach so langer Zeit immer noch Schulden?» Er kicherte geisterhaft, hob einen Finger und drohte scherzend ins Leere.

Michael folgte dem Blick. Und da sah er den Toten. Es war eine große Photographie, die auf dem Kamin stand. Es war das schmale, zarte Gesicht mit dem gezirkelten Bärtchen, der Frauenmund, der so hochmütig lächelte. Er trug auch die Uniform, in der ihn Raumer damals gefunden hatte dort in der Mulde. Offenbar hatte er sich aufnehmen lassen, während er auf Fronturlaub in Paris war.

«Ich bin sein Großvater,» sagte der Alte. «Ich bin auch sein Rechtsnachfolger, wie Sie das nennen. Aber wenn Sie glauben, mein Herr, daß ich nach fünfzehn Jahren noch Schulden für den Schlingel bezahle, dann irren Sie sich.»

«Davon, Herr de Borel, ist gar keine Rede. Es handelt sich wohl eher um Forderungen, die der Verstorbene an gewisse Personen gehabt hat.»

«Forderungen? Das kommt mir sonderbar vor. Nur keine Manöver! Mein Enkel schuldete aller Welt – aber niemand schuldete ihm. Von mir ist nichts zu erhoffen.»

Raumer hatte mit einem nervösen Lachen zu kämpfen.

«Ich kann mit größter Bestimmtheit versichern, Herr de Borel, daß keinerlei Ansprüche an Sie gestellt werden. Niemand denkt daran.»

Dies versetzte den Großvater unvermittelt in sehr gute Laune. Munter schlug er auf eine silberne Glocke, die neben ihm stand. Dies war das erwartete Signal für den Diener. Denn augenblicklich trat er ein und präsentierte auf einem Tablett Portwein und eine Schale mit sehr hellen, weichen Biskuits.

Borel begann zu plaudern. Augenscheinlich genoß er es, einen

---
103 See note 101.

Besucher bei sich zu sehen, ein Vergnügen, das selten geworden war.

«Wenn Sie meinen Enkel gekannt hätten,» zirpte er heiter, «so kämen Sie nicht auf den Einfall, irgend jemand auf Erden könnte ihm Geld schulden. Er war der tollste Verschwender, maniakalisch geradezu, immer nur Weiber, Rennpferde, Weiber, Wetten und Weiber und Spiel. Entzückender Junge, einfach betörend charmant, und eine wahre Familienpest. Er war das einzige Kind, und der Allerletzte. Seine Eltern liebten ihn sündhaft. Sie haben beide seinen Tod nur kurz überlebt. Nur ich bin noch da, ganz allein. Jetzt bin ich der Letzte. Das ist komisch, nicht wahr?»

«Nun, komisch,» antwortete Raumer schwach.

«Absolut komisch. So ein Wrack, das nicht sieht, kaum mehr essen kann und nicht gehen. So endet nach achthundert Jahren eine Geschichte. Wenn Sie französische Chroniken lesen, Monsieur» – er beugte sich tief auf die Visitenkarte nieder, die neben ihm auf dem Tischchen lag – «Monsieur Romère, so werden Sie finden, daß uns schon Froissart[104] und Comines[105] als eine alte Soldatenfamilie behandeln. Lauter[106] klirrende Krieger. Und es ist eigentlich hübsch, daß Charles so im Kampfe gefallen ist. Das rundet alles gut ab. Man soll die Toten nicht sehr beklagen, finden Sie nicht? Und der da hat sich gut amüsiert bis zuletzt.»

Er nahm ein Schlückchen von dem dunklen Port und ein Krümchen Biskuit.

«Baccarat[107] hat er gespielt in der Nacht, ehe er fiel. In einem Bauernhaus dicht hinter der Front saßen die Herren bei den Karten bis Morgens um vier. Und Charles, der sonst immer verlor, in der Nacht gewann er. Eine hübsche Summe sogar, zehntausend Francs oder mehr. Und das waren damals wirkliche Francs, nicht Tapetenpapier so wie jetzt. Aber als man ihn dann

---

104 Froissart: Jean Froissart (c. 1337–1410), French poet and historian
105 Comines: Philippe de Comines (c. 1445–1509), French historian and diplomat
106 lauter: *nothing but*
107 Baccarat: a gambling card game

auf dem Schlachtfeld fand, trug er's nicht mehr bei sich. Es war einfach weg. Niemand kümmerte sich recht darum. Ich persönlich vermute, daß die Offiziere, die das Geld verloren hatten, es wieder an sich genommen und in der Stille verteilt haben. Wenn es so war, Monsieur Romère, so war es äußerst vernünftig. Ich finde, es ist ein glänzender Witz, und für das Leben, das er geführt hat, eine gute Pointe.»[108]

Raumer ging über den sonnigen Hof. Wieder wie ehedem spielte auf dem runden Pflaster ein Kätzchen, an der gleichen Stelle sogar. Aber diesmal war es ein graues Kätzchen, und es spielte mit einem Garnknäuel.
Er blieb stehen. Aus verschleierten Augen blickte er auf das Tierchen hin. Ihm war taumelig, zwiespältig zu Mut. Er hätte weinen und lachen mögen zugleich über das seltsam späte Geschenk, das ihm da sein Schicksal gemacht hatte.
Aber draußen, wie er zum Boulevard einbog, sah er Andreas an seinem kleinen Tisch. Andreas stand auf, hob die Hand und winkte, als hätte er den Vater lang nicht gesehen. Sein nächtiges Haar[109] wehte ein wenig im Märzwind.

---

108 die Pointe: [French] *the point, the clue*
109 nächtiges Haar: a very unusual phrase. It probably means that Andreas' hair is not as well brushed and shiny as it is in normal times, but somewhat unkempt from sleeping in trains.

GERMAN—ENGLISH VOCABULARY

EXPLANATORY NOTE

SINCE THIS TEXT IS INTENDED FOR STUDENTS WHO HAVE HAD AT least two semesters of German, the vocabulary has been somewhat simplified. Only a minimum of grammatical information has been provided. Since, on the other hand, experience has shown that the mastery of the standard minimum word lists, presumably covered in the first year, cannot always be taken for granted, the vocabulary is more comprehensive than is generally the case with intermediate reading texts. Even the less-distinguished student will find everything he needs for understanding the stories.

Idioms are, as a rule, relegated to the vocabulary under the proper key word; however, in special cases they are explained in the notes accompanying the text.

Compound words may be found under the more important component. If the first word is obviously known, the second one is listed, or vice versa.

Verbs listed without any further notation are regular weak verbs. The conjugation of regular strong verbs is indicated by their stem vowels; the principal parts of irregular strong verbs are given in full.

The gender of nouns is given, but not the genitive singular or the plural. Diminutive nouns, infinitives used as nouns, etc., are not listed.

Prefixes, unless marked *sep.*, are inseparable.

ABBREVIATIONS

acc., accusative
adj., adjective
adv., adverb
dat., dative
f., feminine
gen., genitive
id., idiom
m., masculine
n., neuter
pl., plural
refl., reflexive
sep., separable prefix
insep., inseparable prefix

VOCABULARY

abendlich, of the evening
Abendschleier, *m.*, evening veil *or* screen; [*here*] the first night fog
Abenteuer, *n.*, adventure
abenteuerlich, adventurous, strange
aberhundert, hundreds
abermals, again, once again
abertausend, thousands
abfahren (u, a), *sep.*, to depart, leave
Abfahrt, *f.*, departure
abfallen (fiel ab, abgefallen), *sep.*, to fall off
abfinden (a, u), *sep.*, to pay off, settle with
Abgang, *m.*, departure
abgedämpft, toned-down, greatly suppressed
abgehängt, detached, disconnected, uncoupled
abgehen (ging ab, abgegangen), *sep.*, to depart; to go astray; to be missing
abgelegen, remote, distant
Abgeordnete, *m.*, representative, member of parliament
abgewandt, turned away
Abgott, *m.*, idol
Abgrund, *m.*, abyss, precipice
abgründlich, abysmal; — **dunkel**, pitch-black
Abhang, *m.*, slope
abhängen (i, a), *sep.*, to hang down; **—von**, to depend upon; (*refl.*), to be detached

abheben (o, o), *sep.*, to lift off; to contrast; (*refl.*), to detach oneself
abholen, *sep.*, to call for
Abkunft, *f.*, descent, origin
ablassen (ie, a), *sep.*, to let off; to start
ablegen, *sep.*, to put away, lay down; to give (a report, account)
ablehnen, *sep.*, to decline, refuse
Ablehnung, *f.*, refusal
ablenken, *sep.*, to turn away, divert
ablesen (a, e), *sep.*, to read off; to gather
abliefern, *sep.*, to deliver; to consign
abmildern, *sep.*, to ease, make milder
abquetschen, *sep.*, to squeeze off
abreisen, *sep.*, to depart
abrollen, *sep.*, to roll away
abrunden, *sep.*, to round off
Absage, *f.*, refusal, renunciation
absagen, *sep.*, to renounce; to cancel
Absatz, *m.*, heel
abscheulich, abominable
Abschied, *m.*, departure, farewell; **— nehmen** (nahm, genommen), to take leave, bid good-by
abschlagen (u, a), *sep.*, to strike off, chop off; to decline
abschließen (o, o), *sep.*, to lock up, close; to wind up
Abschluß, *m.*, conclusion, settlement; **Geschäftsabschluß**, *m.*, business deal

abschneiden (schnitt ab, abgeschnitten), *sep.,* to cut off; to do; **er schnitt elend ab:** he did miserably

Abschnitt, *m.,* cut, segment, sector

abschreiten (schritt ab, abgeschritten), *sep.,* to pace off, pass along; to measure by walking

abschweifen, *sep.,* to digress, deviate

abschwemmen, *sep.,* to cleanse by washing; to flush

abseits, aside; to (say) aside; away

Abstand, *m.,* distance, space; difference, interval

absterben (a, o), *sep.,* to die out, perish

abstoßen (ie, o), *sep.,* to thrust off, repulse

Absturz, *m.,* rapid fall

absuchen, *sep.,* to search through

Abteil, *n.,* compartment

Abteilung, *f.,* division, detachment

Abteilungschef, *m.,* head of a department

aburteilen, *sep.,* to pass judgment

abwesend, absent; absent-minded

abwinken, *sep.,* to warn off by a nod, to give a sign to a person not to do what he was about to do

Abzeichen, *n.,* mark of distinction; *pl.,* insignia

Achse, *f.,* axle

Achsel, *f.,* shoulder

Acht, *f.,* attention, care, heed; **außer acht lassen,** to ignore, disregard

Achtung, *f.,* attention; esteem, regard

Acker, *m.,* acre; field

Adel, *m.,* nobility

Ader, *f.,* vein, artery

Adler, *m.,* eagle

adrett, smart, adroit

Agitator, *m.,* labor organizer

ahnen, to suspect, surmise

ähnlich, similar, alike

Akt, *m.,* act; document, file

Aktenmappe, *f.,* portfolio

Aktionär, *m.,* stockholder

albern, silly, foolish

allabendlich, every evening

allerletzt, very last, final

allgemein, general

Allmacht, *f.,* omnipotence

allmählich, gradually, by degrees

Alltag, *m.,* everyday existence

Almhütte, *f.,* hut on the mountainside

alsbald, thereupon, immediately

also, thus, so

Alter, *n.,* age; **über sein —,** disproportionate to his age

Altersfriede, *m.,* peace of old age

ältlich, elderly, oldish

altmodisch, old-fashioned

Amsel, *f.,* blackbird

Amt, *n.,* office, position

amtlich, official

Amtsführung, *f.,* administration

Amtsgebäude, *n.,* official building

an sich, in itself

an und für sich, in itself

anbauen, *sep.,* to cultivate, till

Anbetung, *f.,* adoration, worship

anbieten (o, o), *sep.,* to offer

anblicken, *sep.,* to look at

anbranden, *sep.,* to surge up

ander, other; else; different; **unter Anderm,** among other things

ändern, *refl.,* to change

Änderung, *f.,* change

anderweit, otherwise; from another quarter

andeuten, *sep.,* to indicate, intimate; **andeutungsweise,** by intimation or allusion

andrehen, *sep.,* to turn on

aneinander, together; against one another

anerkennend, acknowledging, recognizing

Anerkennung, *f.,* acknowledgement

anfallsweise, in spurts, in fits

Anfang, *m.,* beginning, start

Anfänger, *m.,* beginner

anfordern, *sep.,* to claim, demand, request
Anfrage, *f.,* inquiry
anfüllen, *sep.,* to fill up
Angabe, *f.,* assertion, declaration
angeboren, inborn, innate
angedeihen (ie, ie) lassen, to grant, confer upon
angehen (ging an, angegangen), to concern
angehören *(dat.), sep.,* to belong to
Angehörige, *m.,* member
Angeklagte, *m.,* accused
angekränkelt werden, to become sickly, to be weakened
angenehm, pleasant, acceptable
Angepreßte, *m.,* one squeezed against
Angeschuldigte, *m.,* accused, defendant
angesehen, reputable, respected
Angesicht, *n.,* face, countenance; **im Angesichte,** in the presence of
angesichts, in view of, considering
angetan, dressed; **ihm wird —,** it is done to him
Angriff, *m.,* attack, assault
Angst, *f.,* fear
ängstlich, uneasy; timid
Angstschrei, *m.,* cry of terror
anhaben, *sep.,* to have on; *with dat.,* do harm to
anhaften, *sep.,* to adhere to; to be connected with
anhalten (ie, a), *sep.,* to stop; to hold to; to restrain
anhaltend, continuous
Anhänger, *m.,* partisan, hanger-on; pendant
anheimelnd, comfortable; reminiscing; homely
anheimgeben (a, e), *sep.,* to leave to; to submit; to merge
anklagen, *sep.,* to accuse
Anklagevertreter, *m.,* prosecutor
Ankleidekabinett, *n.,* dressing room
anknüpfen, *sep.,* to tie, fasten, join; **Beziehungen —,** to enter into relationships
ankommen (kam an, angekommen), *sep.,* to arrive
ankündigen, *sep.,* to announce, proclaim
Ankunft, *f.,* arrival
Anlage, *f.,* plan, arrangement; park, promenade
anlangen, *sep.,* to arrive at, reach
Anlaß, *m.,* occasion; cause
anlassen (ie, a), *sep., refl.,* to promise; to behave
Anliegen, *n.,* concern; desire; aim
Anmarsch, *m.,* advance
anmelden, *sep.,* to announce, report
anmutig, pleasant, charming
annehmen (nahm an, angenommen), *sep.,* to accept; to suppose, take for granted
anpassen, *sep.,* to suit, fit, make fit, adapt
anregen, *sep.,* to stir up, stimulate; **angeregt unterhalten (ie, a),** *sep.,* to converse animatedly
anrollen, *sep.,* to start rolling
anrühren, *sep.,* to touch
anschließen (o, o), *sep., refl.,* to join; to follow
anschmieden, *sep.,* to forge onto, fetter
ansehen (a, e), *sep.,* to look at; to consider; **einem Menschen etwas ansehen,** to find out about a person by looking at him
ansehnlich, considerable, important
Ansicht, *f.,* view, opinion
Anspannung, *f.,* exertion, strain
Anspruch, *m.,* claim, demand; **in — nehmen (a, genommen),** to claim, demand
anspruchsvoll, pretentious, presumptuous
Anstalt, *f.,* institution, establishment; arrangement; **Anstaltsgenosse,** *m.,* fellow inmate
anständig, proper, respectable, suitable

ansteigen (ie, ie), *sep.*, to ascend
Anstoß, *m.*, impulse; offense
anstoßen (ie, o), *sep. with* auf (*acc.*), to drink to one's health
Anstrengung, *f.*, exertion, strain
antreiben (ie, ie), *sep.*, to drive on, urge on
antreten (a, e), *sep.*, to set out, begin; to fall in for roll call
Antrieb, *m.*, drive, impulse
anvertrauen, *sep.*, to entrust to, confide in
Anwalt, *m.*, lawyer
anwesend, present
Anzahl, *f.*, number, quantity
anziehen (zog an, angezogen), *sep.*, to draw, attract; to put on, dress; die Maschine zog an, the locomotive started moving
Anzug, *m.*, suit
arbeiten, to work; aufarbeiten, *sep.*, to work up, finish
Arbeiter, *m.*, workman, laborer
Arbeiterführer, *m.*, workers' leader
Arbeiterschaft, *f.*, workingmen
Arbeitshof, *m.*, work yard
Arbeitslose, *m.*, unemployed
Arbeitssaal, *m.*, workroom
Arbeitsschule, *f.*, industrial school
Arbeitszimmer, *n.*, study
arg, bad, severe, wicked
ärgern, to irritate, annoy
Armbinde, *f.*, sling; badge
Armstumpf, *m.*, stump of an arm
Armut, *f.*, poverty
Art, *f.*, kind, sort; nature; fashion
Arzt, *m.*, physician; Stabarzt, *m.*, medical officer
Ast, *m*, branch
Atem, *m.*, breath, respiration
atemlos, breathless
ätherisch, ethereal; volatile
atmen, to breathe
Atmungsorgan, *n.*, respiratory organ
auf und ab, back and forth
auf- und abwandern, *sep.*, to pace back and forth

aufarbeiten, *sep.*, to catch up on one's work
aufbauen, *sep.*, to build up, erect
aufbieten (o, o), *sep.*, to summon; to put forth; unter Aufbietung seiner ganzen Energie, using all his energy
aufblicken, *sep.*, to look up
aufblitzen, *sep.*, to flash up, sparkle
aufbrechen (a, o), *sep.*, to break open, burst forth; to depart
aufbringen (brachte auf, aufgebracht), *sep.*, to bring up; raise
Aufbruch, *m.*, act of breaking up, decampment, departure
aufdringlich, obtrusive, persistent
aufeinander, one on another, one after another
Aufenthalt, *m.*, stop, stay, sojourn
aufenthaltlos, without stopping
auffallen (ie, a), *sep.*, to fall upon; es fällt auf, it is striking; es fällt ihm auf, he notices; es fällt ihm ein, it occurs to him
auffallend, striking, extraordinary
auffangen (i, a), *sep.*, to snatch up, catch while in motion
Auffassung, *f.*, conception, interpretation
auffordern, *sep.*, to call upon, invite
Aufgabe, *f.*, lesson, problem, task
aufgehen (ging auf, aufgegangen), *sep.*, to rise; to open; es geht auf, (*id.*), it makes it even, it balances the account
aufgreifen (i, i), *sep.*, to snatch up, grab up
aufheben (o, o), *sep.*, to lift, raise; to take care of; to suspend; to do away with
aufhetzen, *sep.*, to stir up, incite
aufknüpfen, *sep.*, to untie, unfasten
auflackieren, *sep.*, to varnish, lacquer
aufleben, *sep.*, to be revived
auflecken, *sep.*, to flare up
auflesen (a, e), *sep.*, to pick up, gather

aufleuchten, *sep.,* to light up, shine
Auflösung, *f.,* dissolution
aufmachen, *sep.,* to open; *refl.,* to set out, start
aufmerksam, attentive, observant
Aufmerksamkeit, *f.,* attention
aufmuntern, *sep.,* to encourage, arouse
aufnehmen (a, aufgenommen), *sep.,* to take up; to take (photos); to receive
aufprägen, *sep.,* to imprint, impress upon
aufragen, *sep.,* to jut, tower up
aufräumen, *sep.,* to put in order, tidy
aufrecht, upright, erect
Aufregung, *f.,* excitement
aufreiben (ie, ie), *sep., refl.,* to wear oneself out
aufrichten, *sep.,* to erect; *refl.,* to raise oneself
aufrichtig, sincere, honest
aufsässig, hostile, unruly
aufscheuchen, *sep.,* to scare away
aufschieben (o, o), *sep.,* to shove, push open; to postpone, delay
aufschlagen (u, a), *sep.,* to strike open; to set up; to open
aufschließen (o, o), to unlock, open
aufschreiben (ie, ie), *sep.,* to write down
Aufschwung, *m.,* rise
Aufsehen, *n.,* stir, sensation
aufsperren, *sep.,* to open wide
aufsteigen (ie, ie), *sep.,* to rise, climb upward
aufstellen, *sep.,* to set up, draw up
Aufstoßen, *n.,* knocking; rising of the stomach
auftauchen, *sep.,* to emerge, appear suddenly
Auftrag, *m.,* order, instruction; **im —,** by order
Auftreten, *n.,* coming forward, appearance

auftun (tat auf, aufgetan), *sep.,* to open
aufwachsen (u, a), *sep.,* to grow up
aufwärts, upwards
aufweisen (ie, ie), *sep.,* to exhibit, show
Augenblick, *m.,* moment, instant
augenfällig, evident, obvious
Augenhöhle, *f.,* eye socket
augenscheinlich, evident, apparent
aus sein, to be over, done with
Ausbildung, *f.,* training, development
ausbleiben (ie, ie), *sep.,* to fail to appear; not to take place
Ausblick, *m.,* outlook, view
Ausbrecher, *m.,* criminal at large
ausbreiten, *sep.,* to spread out, extend
Ausbruch, *m.,* outbreak; escape
Ausdruck, *m.,* expression
ausdrücken, *sep.,* to press out; to express
Ausfertigung, *f.,* dispatch, execution
ausführen, *sep.,* to carry out, execute; to realize
Ausgabe, *f.,* edition; distribution; expenditure
ausgebildet, educated
ausgehen (ging aus, ausgegangen), *sep.,* to go out, start, emanate
Ausgerutschte, *m.,* one who has slipped *or* lost his footing
ausgezeichnet, excellent, distinguished; **ausgezeichneter Dinge,** in high spirits
ausgreifend, extensive
aushalten (ie, a); *sep.,* to endure, bear
ausharren, *sep.,* to hold out, wait
auskleiden, *sep.,* to undress
Ausland, *n.,* foreign country; **im Ausland,** abroad
Auslauf, *m.,* running out; ending
Auslegung, *f.,* interpretation, explanation

Ausmaß, *n.*, degree, measure
Ausnahme, *f.*, exception
Ausnahmerecht, *n.*, exceptional rights *or* law
ausnutzen, *sep.*, to utilize
Ausreise, *f.*, trip abroad
ausrotten, *sep.*, to exterminate, root out
aussätzig, leprous; (*here*) outcast
ausschauen, *sep.*, to look out; to appear
ausschließen (o, o), *sep.*, to lock out; to exclude
ausschließlich, exclusive, exceptional
ausschreiben (ie, ie), *sep.*, to write out; zum Verkauf —, to offer for sale
ausschweifend, rambling, extravagant
aussehen (a, e), *sep.*, to appear, seem; — nach, to look like
außen, out, outside; nach —, outside the house
Außenpolitik, *f.*, foreign politics
Außenwand, *f.*, outer wall
außerdem, besides, moreover
äußere, outer, exterior
Äußere, *n.*, external appearance
äußerlich, external, outward
äußerst, extremely
Aussicht, *f.*, prospect, expectation
aussinnen (a, o), *sep.*, to concoct
aussprechen (a, o), *sep.*, to pronounce, utter
ausspucken, *sep.*, to spit out
ausstehen (a, a), *sep.*, to endure, bear
aussteigen (ie, ie), *sep.*, to get out; to leave
ausstoßen (ie, o), *sep.*, to thrust out, expel; to utter
ausstrecken, *sep.*, to stretch out, extend
ausüben, *sep.*, to exercise
Ausverkauf, *m.*, selling out, clearance sale
Ausweg, *m.*, way out
auswirken, *sep.*, *refl.*, to take effect

Automat, *m.*, slot machine
avancieren, to be promoted

Bach, *m.* brook, rivulet
Badeeinrichtung, *f.*, bathing accommodations
bagatellisieren, to belittle
Bahn, *f.*, path, road, course; railroad; aus der — geschleudert, left out in the cold
Bahnbaukunst, *f.*, railroad engineering
Bahndamm, *m.*, railroad embankment
Bahnhof, *m.*, railroad station
Bahnhofskneipe, *f.*, tavern in a railroad station
Bahnhütte, *f.*, trainman's hut
Bahnsteig, *m.*, railroad-station platform
Bambusstab, *m.*, bamboo cane
banal, commonplace, trite
Band, *m.*, volume; binding
Bande, *f.*, band, gang
bankmäßig, concerning banking affairs
Banknote, *f.*, bank bill
Bankrott, *m.*, bankruptcy
bar, bare, naked, destitute; bares Geld, ready money, cash
Barett, *n.*, cap
Barmittel, *pl.*, ready cash
Bart, *m.*, beard
basteln, to putter around
Bauch, *m.*, belly, abdomen
bauen, to build; anbauen, *sep.*, to till, cultivate; aufbauen, *sep.*, to build up, erect
Bauer, *m.*, farmer, peasant
bäumen, *refl.*, to prance; to move in convulsions
Baumrinde, *f.*, bark
Beamte, *m.*, officer, official
beantragen, to propose
beauftragen, to commission, delegate; charge (to do)
beben, to shiver, tremble, quake
Bedacht, *m.*, consideration, deliberation

bedauern, to pity, regret, deplore
Bedenken, *n.*, deliberation; hesitation
bedenklich, doubtful, critical, serious
bedeuten, to mean, signify
bedeutend, important
bedienen, to serve, wait on
Bedingung, *f.*, stipulation, condition, terms
bedrängen, to oppress, afflict, press
bedrohen, to threaten, menace
Bedrohung, *f.*, threat; commination
bedrucken, to print on, imprint
Bedrücktsein, *n.*, feeling of being pressed, depression
beenden, to finish, complete
befallen (ie, a), to befall; to overtake
Befehl, *m.*, command, order; **Gefechtsbefehl**, combat order
befestigen, to make fast; to establish
befinden (a, u), to deem, find; *refl.*, to be, feel
Befinden, *n.*, well-being, state of health
befolgen, to obey, comply with, adhere to
befördern, to promote
Beförderung, *f.*, forwarding; promotion, advancement
befragen, to question
befreien, to free, liberate
befrieden, to pacify
befühlen, to feel
begabt, gifted, talented
begeben (a, e), *refl.*, to set about; **in Gefahr —**, to run the risk
begehen (beging, begangen), to commit; to celebrate
Begeisterung, *f.*, inspiration, enthusiasm
begleiten, to accompany
Begleiter, *m.*, escort, companion
begnügen, *refl.*, to be satisfied (with), be content

begreifen (begriff, begriffen), to comprehend, understand; to comprise, include
Begriff, *m.*, conception; **im —**, on the point of, in the act of
Behagen, *n.*, comfort, ease
behaglich, comfortable
behalten (ie, a), to keep, retain; **Recht —**, to prove one's point
behandeln, to treat, deal with
Behandlung, *f.*, treatment
beherrschen, to rule over, be master of
behilflich, helpful
behüten, to guard, watch over
behutsam, cautious, careful
beibehalten (ie, a), *sep.*, to keep, retain
beibringen (brachte bei, beigebracht), *sep.*, to bring forward, produce
beide, both
beifallsgierig, greedy for acclaim *or* applause
Beifallsklatschen, *n.*, applause
Beihilfe, *f.*, aid, assistance
Bein, *n.*, leg
beinahe, almost, nearly
beisammen, together
Beispiel, *n.*, example; **zum —**, for example
beißen (i, i), to bite
beitragen (u, a), *sep.*, to contribute
beiwohnen, *sep.*, (*dat.*), to be present at, attend, witness
bekämpfen, to combat, overcome
Bekannte, *m.*, acquaintance, friend
bekanntgeben (a, e), *sep.*, to announce
Bekanntheit, *f.*, acquaintance; fame
bekennen (bekannte, bekannt), to confess, acknowledge
Bekenntnis, *n.*, confession, avowal
beklagen, to mourn, lament
bekleiden, to dress, clothe; **bekleidete Hände**, gloved hands
beklommen, anxious, uneasy
bekommen (bekam, bekommen), to get, receive

bekümmern, to trouble, worry; *also refl.*, to care, be concerned
beladen, loaded
belauern, to lie in wait for, watch for
beleihen (ie, ie), to lend *or* borrow with security
bellen, to bark
Belohnung, *f.*, pay, reward
bemerken, to take notice, observe
bemühen, *refl. with* um, to take pains about
benehmen (a, benommen), *refl.*, to behave
benennen (benannte, benannt), to name, designate
benommen, confused
benutzen, to make use of, utilize
bequem, comfortable, convenient; fitting
Beratung, *f.*, consultation
Beraubte, *m.*, victim of a robbery
berechtigen, to justify; to authorize
bereit, ready
bereits, already
bereitwillig, ready, willing
bergauf, uphill
Bergdorf, *n.*, mountain village
bergen (a, o), to save, secure; to recover
Bergfuß, *m.*, base *or* foot of a mountain
Bergluft, *f.*, mountain air
Bergriese, *m.*, giant mountain
Bergwand, *f.*, mountain wall
bergwärts, in the direction of the mountain
Bericht, *m.*, report, statement
berichten, to report
bersten (a, o), to burst, crack
Berücksichtigung, *f.*, consideration, regard
berufen (ie, u), to call, convoke; einberufen, *sep.*, to convene
beruflich, professional
berühmt, famous, renowned
berühren, to touch; in Berührung kommen, to come in contact with
Beschaffung, *f.*, provision, procurement
beschäftigen, to occupy, keep busy, engage
beschämen, to put to shame, disgrace
beschatten, to overshadow
Bescheid, *m.*, knowledge; answer; accurate information; — wissen, to be informed
bescheiden (ie, ie), to allot, apportion
Bescheidenheit, *f.*, modesty
beschlagnahmen, to seize
beschleunigen, to speed up, hasten
beschreiben (ie, ie), to describe; to write upon
beschweren, *refl.*, to complain
beschwören (o, o), to affirm, take an oath; to entreat
beseitigen, to put aside; to do away with
Besessenheit, *f.*, obsession, possession by evil spirits
besetzen, to occupy, take in
besiegen, to defeat, vanquish
besinnen (a, o), *refl.*, to think of, consider, deliberate
besinnungslos, unconscious, insensible
Besitz, *m.*, property, possession; estate
besitzen (besaß, besessen), to possess, own
Besonderheit, *f.*, peculiarity, individuality
besonders, particularly, especially
besonnt, exposed to the sun, tanned by the sun
besorgen, to take care, procure, order
Besorgtheit, *f.*, concern
besprechen (a, o), to discuss
bestehen (bestand, bestanden), to undergo, go through; to exist; — aus, to consist of

bestehlen (a, o), to rob, steal from
bestellen, to arrange, order; to appoint
bestimmen, to decide, determine, settle
Bestimmtheit, *f.*, precision, definiteness; **mit —**, positively
Bestrafung, *f.*, punishment
bestreben, to strive, endeavor
bestreichen (i, i), to spread over
bestreiten (bestritt, bestritten), to contest, dispute; to pay for
bestürzend, dismaying, confounding
Besuch, *m.*, visit
betasten, to touch
betäuben, to stupefy, stun, deafen
beteiligen, *refl.*, to take part in, participate
beten, to pray
betören, to delude, infatuate
betrachten, to view, consider, regard
Betrag, *m.*, amount
betreten (a, e), to set foot in, enter; **betreten** (*p. part.*), startled, disconcerted
Betrieb, *m.*, trade; factory
betroffen, struck with surprise, confounded
Betrug, *m.*, fraud, deception
betrunken, drunk
betteln, to beg
Bettler, *m.*, beggar
Bettrand, *m.*, edge of the bed
beugen, to bend; **niederbeugen**, *sep.*, to bend down
beunruhigen, to disturb, trouble
Beute, *f.*, booty
Beutel, *m.*, bag, purse
bevorstehen (stand bevor, bevorgestanden), *sep.*, to be at hand *or* imminent
bewahren, to keep, preserve; **— vor**, to guard against
bewähren, *refl.*, to prove, stand a test

Bewährungsfrist, *f.*, time of probation
bewegen, to stir, move; *refl.*, to get into motion, move; **umherbewegen**, *sep.*, to get around
beweglich, movable, flexible
bewegt, agitated, restless
Bewegung, *f.*, movement; emotion
Beweis, *m.*, proof
bewohnbar, inhabitable
bewohnen, to inhabit, live in
bewundern, to admire, wonder at
bewußtlos, unconscious
Bewußtsein, *n.*, consciousness, sensibility; **es kam ihm zum —**, he realized
Bezahlung, *f.*, payment
bezeichnen, to mark, designate
beziehen (o, o), to cover; to take up, occupy; to receive
Beziehung, *f.*, relation, connection
Bezirk, *m.*, district
bezwingen (a, u), to force, compel
biegen (o, o), to bend; **um die Ecke —**, to turn the corner; **einbiegen**, *sep.*, to turn into; **hinüberbiegen**, *sep.*, to turn toward the other side
biegsam, flexible
Biegung, *f.*, turn, winding
bieten (o, o), to bid, offer; **anbieten**, *sep.*, to offer
bilden, to form, fashion
Billet, *n.*, ticket, note
billig, cheap
billigen, to approve, sanction
Billigung, *f.*, approval, sanction
binden (a, u), to tie, bind; **— an**, (*acc.*), to bind to
Birne, *f.*, pear; (electric) bulb
bisher, until now, hitherto
bisherig, past
bitten (bat, gebeten), to ask, request; **— für**, (*acc.*), to intercede for
blaß, pale, faint
Blatt, *n.*, leaf, sheet
blauschwarz, blue-black, inky

bleiben (ie, ie), to remain, stay; **ausbleiben,** *sep.*, to remain behind, survive; **zurückbleiben,** *sep.*, to fail to appear, not take place

bleich, pale

bleichen, to bleach

bleiern, leaden

Bleistiftstrich, *m.*, pencil line *or* stroke

blicken, to glance, look; **aufblicken,** *sep.*, to look up; **emporblicken,** *sep.*, to look upward; **erblicken,** to catch sight of, see; **zurückblicken,** *sep.*, to look back

blitzen, to lighten, flash, sparkle; **aufblitzen,** *sep.*, to flash out, sparkle

Blitzschlange, *f.*, lightning flash like a serpent

blitzschnell, quick as lightning

Blondine, *f.*, blonde

bloß, only, just

Blöße, *f.*, bareness; weakness

bloßlegen, *sep.*, expose, unearth

bluten, to bleed

blutig, bloody

Blutkreislauf, *m.*, bloodstream

blutunterlaufen, bloodshot; [*here*] black and blue

blutverschmiert, smeared with blood

Bock, *m.*, ram; box (coachman's)

Boden, *m.*, ground, floor; soil; bottom; **Bodenmulde,** *f.*, depression, hollow in ground; **zu — stoßen** (ie, o), to knock down

Bogen, *m.*, bow, arc

bohren, to bore, burrow; **hinabbohren,** *sep.*, to burrow downwards

böse, bad, evil

Bosheit, *f.*, malice, spite

Branche, *f.*, (*French*), branch, department

branden, to surge; **anbranden,** *sep.*, to surge up

brauchen, to use; to need

brechen (a, o), to break; **aufbrechen,** *sep.*, to break forth, burst forth; to depart; **heranbrechen,** *sep.*, to rush *or* plunge against; **zusammenbrechen,** *sep.*, to collapse

Brechung, *f.*, break

Brei, *m.*, pulp, mush

breit, broad, wide

breiten, to spread out, widen; **ausbreiten,** *sep.*, to spread out, extend

Bremse, *f.*, brake

brennen (brante, gebrannt), to burn; **lichterloh —,** to be ablaze; **einbrennen,** *sep.*, to burn in, brand

Bretterstoß, *m.*, pile of boards

Brieftasche, *f.*, wallet

Brillantkollier, *n.*, diamond necklace

Brillantring, *m.*, diamond ring

Brille, *f.*, spectacles, glasses

bringen (brachte, gebracht), to bring; **in Erfahrung —,** to learn, find out; **einbringen,** *sep.*, to bring in, yield; **mitbringen,** *sep.*, to bring along; **unterbringen,** *sep.*, to shelter, put away, accommodate; **vorbringen,** *sep.*, to bring forward, state; **zubringen,** *sep.*, to bring; pass (time)

Broschüre, *f.*, pamphlet, brochure

Broterwerb, *m.*, means of earning a living

Brotgänger, *m.*, one who derives sustenance from others

Bruch, *m.*, break, breach

Bruchteil, *m.*, fraction

Brücke, *f.*, bridge; **Eisenbrücke,** *f.*, iron bridge

brüllen, to roar, bellow, yell; **überbrüllen,** to yell down; **vorbrüllen,** *sep.*, to yell to

Brüllton, *m.*, sound of bellowing *or* yelling

Brunnen, *m.*, well, spring, fountain

Brust, *f.*, breast, chest

Brustbeutel, *m.*, wallet for breast pocket
Bücherfresser, *m.*, bookworm
Buchhalter, *m.*, bookkeeper
bücken, to bow; to stoop
buddeln, to dig; **herumbuddeln,** *sep.*, to dig around; [here] to mess around
Bühne, *f.*, stage
Bündel, *n.*, bunch; bundle
bunt, gay-colored, diversified, mixed
Bürgerfamilie, *f.*, middle-class family
Büro, *n.*, office
Büttel, *m.*, jailer; bailiff; provost

Chef, *m.*, chief, head
Chefredakteur, *m.*, editor-in-chief
Coupé, *n.*, (*French*), compartment

dabei, near by, close by; with it; nevertheless, yet
Dahinrollen, *n.*, rumbling along
dahintragen (u, a), *sep.*, to carry along
damals, then, at that time
Dampf, *m.*, steam
Dampfer, *m.*, steamship
Dampfmaschine, *f.*, steam engine
Dankbarkeit, *f.*, thankfulness
Darlehen, *n.*, loan
dartun (tat dar, dargetan), to prove, demonstrate
Dasein, *n.*, life, existence
dauern, to last, continue
davonkommen (kam davon, davongekommen), *sep.*, to escape
dazwischen, between them, in between
Decke, *f.*, cover; ceiling
decken, to cover
Deckenzeug, *n.*, bedcovers, bed linen
degradieren, to degrade; to reduce in rank
demütig, humble, meek; humiliating
demütigen, to humiliate, humble
Denker, *m.*, thinker

denkwürdig, memorable, notable
dennoch, nevertheless, yet
deprimieren, to depress
Deputierenkammer, *f.*, Chamber of Deputies
derartig, of such kind; to such an extent
dermaßen, to that degree, so much
deshalb, therefore, for that reason
Detaillist, *m.*, retail merchant
deuten, to explain, interpret; *with* **auf,** (*acc.*), to point to
dicht, thick, dense, close
dichten, to write poetry; to devise; **hinzudichten,** *sep.*, to invent *or* devise in addition
dick, fat, thick
Dieb, *m.*, thief
Diebstahl, *m.*, theft
diejenigen, those
dienen, to serve
dienern, to bow like a servant
dienlich, serviceable
Dienst, *m.*, service, duty
Dienstbuch, *n.*, book of certificates; [here] booklet containing railroad records and regulations
Dienstfahrt, *f.*, official trip
Dienstgrad, *m.*, military rank
Diktat, *n.*, dictation
diskutieren, to discuss
disponieren, to dispose of; **disponiert sein,** to be disposed to
Dokumentensammlung, *f.*, collection of documents
Dolch, *m.*, dagger
Donnerschlag, *m.*, clap of thunder
Doppelfragment, *n.*, double fragment
Doppeltor, *n.*, double gate
Dorf, *n.*, village
Drahtzieher, *m.*, one who pulls strings
drängen, to press, crowd; **wegdrängen,** *sep.*, to push away; **zurückdrängen,** *sep.*, to press, push back; to repel
draußen, outside, abroad; **da draußen,** out there (at the front)

drehen, to turn, twist; **andrehen,** *sep.*, to turn on; **eindrehen,** *sep.*, to twist in; **herumdrehen,** *sep.*, to revolve about

dreinsehen (a, e), *sep.*, to look down upon

dringen (a, u), to press, penetrate; **durchdringen,** to penetrate, pierce

dringend, pressing, urgent

drinnen, within, inside

drohen, to threaten

dröhnen, to roar

drollig, droll, funny; queer (person)

drüben, over there, opposite, beyond

Druck, *m.*, pressure, squeeze

drücken, to press, squeeze; **ausdrücken,** *sep.*, to press out, express; **herausdrücken,** *sep.*, to press outward

Duft, *m.*, fragrance

duftlos, without scent

Dummheit, *f.*, stupidity, nonsense; *pl.*, foolish tricks, foolishness

dümmlich, dull, foolish

dumpf, damp, hollow, dull, gloomy

dumpftrappelnd, tramping with a muffled *or* hollow sound

dunkel, dark

dunkeln, to darken

Dunst, *m.*, vapor, haze, fumes

durchaus, throughout, quite

durchaus nicht, not at all

Durchbruch, *m.*, break-through

durchdringen (a, u), *sep.*, to penetrate, pierce

durchfahren (u, a), to rush through

durchmachen, *sep.*, to go through, experience

durchmessen (durchmaß, durchmessen), to traverse

durchnässen, to soak, drench

durchquellen, *sep.*, to gush through, swell through

durchreißen (i, i), *sep.*, to break, rend

durchschlagen (u, a), to beat through; pierce

Durchschlagpapier, *n.*, carbon paper

durchschneiden (durchschnitt, durchschnitten) to cut through; to traverse

Durchschnitt, *m.*, section; average

durchsichtig, transparent

durchsuchen, to search through

durchzucken, to convulse; to flash through

Dürftigkeit, *f.*, poverty, need

Dusche, *f.*, douche, shower bath

düster, gloomy, sad, dismal

Dutzend, *n.*, dozen

eben, plain

eben (*adv.*), just, quite

ebenso gerne, just as soon, just as much

Ecke, *f.*, corner

eckig, angular, cornered

Eckraum, *m.*, corner room

Ehe, *f.*, marriage

ehedem, formerly, of old

ehemals, formerly, of old

Ehepaar, *n.*, married couple

eher, sooner, rather

Ehrengruft, *f.*, tomb of honor

Ehrenhof, *m.*, courtyard of honor; [*here*] garden in front of the house

Ehrensaal, *m.*, hall of honor

Ehrenstellung, *f.*, dignity; position of honor

ehrfürchtig, respectful

Ehrgeiz, *m.*, ambition

ehrgeizig, ambitious

ehrlich, honest

ehrlos, dishonorable

Eid, *m.*, oath

Eidbruch, *m.*, breaking of an oath, perjury

eidbrüchig, perjured; — **machen,** to cause to go back on an oath

Eigengewicht, *n.*, own weight

eigens, expressly, purposely

Eigensinn, *m.*, obstinacy

eigentlich, true, real; *(adv.)*, really, to be sure, indeed
Eigentum, *n.*, property
Eigentümer, *m.*, owner
eigentümlich, peculiar, odd
Eignung, *f.* aptitude; suitability
eilen, to hurry
eilig, hasty, urgent
einander, one another, each other
einberufen (ie, u), *sep.*, to convene
einbiegen (o, o), *sep.*, to bend inwards; — in, to turn into
Einblick, *m.*, insight
einbrennen (brannte ein, eingebrannt), *sep.*, *refl.*, to burn into, become embedded, brand
einbringen (brachte ein, eingebracht), *sep.*, to bring in, yield
eindrehen, *sep.*, to twist in
Eindruck, *m.*, impression
eindrucksvoll, impressive
einfach, simple
einfahren (u, a), *sep.*, to drive in, enter
Einfall, *m.*, downfall; idea, notion; auf den — kommen, to get the idea, think
einfallen (ie, a), *sep.*, to fall in; es fällt mir ein, it occurs to me
einflößen, *sep.*, to infuse, inspire with
Einfluß, *m.*, influence; influx
Eingangstür, *f.*, entrance door
eingefallen, sunken
eingehen (ging ein, eingegangen), *sep.*, to enter, penetrate
eingestehen (gestand ein, eingestanden), *sep.*, to confess, grant, admit
eingleisig, single-track
eingreifen (griff ein, eingegriffen), *sep.*, to catch, take hold of; to entrench
einhaken, *sep.*, to hook in
einhalten (ie, a), *sep.*, to check, restrain; to observe; to keep
einhämmern auf, *(acc.)*, *sep.*, to hammer at

einholen, *sep.*, to bring in; to make up for
einhüllen, *sep.*, to wrap in, envelop
einig, united
einig werden, to come to an agreement
einklammern, *sep.*, to enclose in brackets
Einkommen, *n.*, income
einlaufen (ie, au), *sep.*, to come in, arrive
Einleitung, *f.*, introduction
einmal, once; auf einmal, suddenly
einnehmen (a, eingenommen), *sep.*, to take in; to take possession of, occupy
einnisten, *sep.*, to nest, creep into, settle in
einpacken, *sep.*, to pack
einquartieren, *sep.*, to quarter, billet
einrichten, *sep.*, to arrange; to furnish; *refl.*, to establish oneself
einriegeln, *sep.*, to bolt in
einrollen, *sep.*, to roll in, arrive rolling
einsam, lonely, lonesome
einsäumen, *sep.*, to hem in; to border on
einschläfern, *sep.*, to lull to sleep
einschlagen (u, a), *sep.*, to break in; to strike
einschlägig, relative to, pertinent
einschließen (o, o), *sep.*, to lock in
einsehen (a, e), *sep.*, to understand
einsetzen, *sep.*, to set in, begin; to risk
Einsicht, *f.*, insight, judgment, discernment
einspannen, *sep.*, to stretch in a frame *or* yoke
einst, one time, once, sometime; wie einst, as formerly
einsteigen (ie, ie), *sep.*, to get into, enter
einstig, future; former, sometime
einstürmen, *sep.*, to rush at, assail

einstürzen, *sep.*, to fall in, collapse
einstweilen, for the time being
einträglich, lucrative, profitable
eintreffen (traf ein, eingetroffen), *sep.*, to arrive; to coincide
eintreten (trat ein, eingetreten), *sep.*, to enter
Eintrittsstelle, *f.*, place of entrance
einwandfrei, unobjectionable
einwenden (wandte ein, eingewandt), *sep.*, to object, protest
einzäunen, *sep.*, to fence in
Einzelheit, *f.*, particular, detail
einzeln, single, separate
einziehen (zog ein, eingezogen), *sep.*, to draw in, take in; to collect; **Erkundigungen —,** to collect *or* obtain information
einzig, single, sole; unique
Eisenbahnunfall, *m.*, railroad accident
Eisenbahnverwaltung, *f.*, railroad management
Eisenbrücke, *f.*, iron bridge
Eisenpfeiler, *m.*, iron shaft
eisern, iron, of iron
eitel, vain, conceited
Elend, *n.*, misery, distress
emaillieren, to enamel
empfangen (i, a), to receive, welcome
Empfangsraum, *m.*, drawing room
empfehlen (a, o), to recommend; *refl.*, to be recommendable; to take leave
empfinden (a, u), to feel, perceive
empfindlich, sensitive, tender
emporblicken, *sep.*, to look upwards
emporgeschwungen, upward-soaring, rising
emporsteigen (ie, ie), *sep.*, to rise, ascend
Empörung, *f.*, revolt; indignation
endgültig, final, conclusive
endlich, finally, at last
Endsieg, *m.*, final victory
Endsumme, *f.*, final sum, total
eng, narrow

Enkel, *m.*, grandson
entblößt, bare, undressed
entbunden, disengaged, untied; given birth; **die Entbundene,** the young mother
entdecken, to discover, uncover
Entdecker, *m.*, discoverer
entfernt, distant, remote
Entfernung, *f.*, distance, remoteness
entgegenglotzen, *sep.*, to stare out towards
entgegenkommen (kam entgegen, entgegengekommen), *sep.*, to come up to meet
entgegensetzen, *sep.*, to oppose, be contrary to
entgegenstrecken, *sep.*, to stretch out towards; to offer
entgegentreten (a, e), *sep.*, to meet
entgleisen, to run off the tracks; to slip
enthalten (ie, a), to contain, hold; *refl.*, to abstain from
entkommen (entkam, entkommen) to escape
entlang, along
entlassen (ie, a), to dismiss, let go, release
entmutigen, to discourage, dishearten
entnehmen (a, entnommen), to take away; to borrow from
entrinden, to remove the bark; **entrindet,** without bark
entrinnen (a, o), to escape
Entrüstung, *f.*, indignation, wrath
entscheiden (ie, ie), to decide, pass sentence, determine
entschließen (o, o), *refl.*, to decide
entschlossen, resolved, determined
Entschlossenheit, *f.*, determination, resolution
Entschluß, *m.*, resolve
entschuldigen, to excuse
entsenden (entsandte, entsandt), to send off, dispatch
Entsetzen, *n.*, terror, horror
entsetzlich, terrible, frightful

entsprechen (a, o), to correspond to, suit, be adequate for
entstehen (entstand, entstanden), to arise, originate
entstellen, to deform, distort
Enttäuschung, *f.*, disappointment, disillusionment
entweder ... oder, either... or
entwerten, to depreciate, debase; **völlig entwertet**, valueless
Entwickelung, *f.*, development
entwürdigen, to degrade, dishonor
entzückend, delightful, charming
Enzian, *m.*, gentian (a mountain flower)
erbauen, to erect, build up
Erbe, *m.*, heir
Erbe, *n.*, inheritance
erbeben, to tremble
erbleichen, to become pale
erblicken, to catch sight of, see
Erdbeere, *f.*, strawberry
Erdbeerlöffel, *m.*, small spoon for strawberries
Erde, *f.*, earth, soil; **auf Erden**, in the world
Erdgeschoß, *n.*, ground floor
erdrücken, to choke, stifle
ereignen, *refl.*, to occur, happen
Ereignis, *n.*, event, occurrence
ereilen, to overtake
erfahren (u, a), to experience, find out
Erfahrung, *f.*, experience; **in — bringen (brachte, gebracht)**, to learn, find out
erfinden (a, u), to invent
Erfindung, *f.*, invention
Erfolg, *m.*, success; result
erfolgen, to result, take place
erfolglos, unsuccessful
erfolgreich, successful
Erfolgsucht, *f.*, passion for success
erfreulich, delightful, pleasing
erfrischen, to refresh, freshen
erfüllen, to fill up; *refl.*, to be fulfilled, come to pass
Erfüllung, *f.*, fulfillment

ergänzen, to complete, perfect to; make up, recruit
ergeben (a, e), to yield, prove; to result in; to be like
Ergebnis, *n.*, result, outcome
ergehen (erging, ergangen), to befall, happen; **Er erkundigte sich nach seinem Ergehen**, He inquired about how he felt
ergötzen, to delight, please
ergreifend, touching, impressive
erhalten (ie, a), to maintain; to receive, get
erheben (o, o), to lift, raise up
erhellen, to illuminate
erhellt, lit up, illuminated
erhoffen, to hope for, expect eagerly
erhöht, higher, elevated
erholen, *refl.*, to recover
erinnern an (*acc.*), *refl.*, to remember, recall
Erinnerung, *f.*, reminiscence, recollection
erkennen (erkannte, erkannt), to know, perceive; to recognize
Erkenntnis, *f.*, verdict, judgment; knowledge
Erklärung, *f.*, declaration, explanation, statement
Erkrankung, *f.*, falling sick
erkundigen, *refl.*, to inquire (*with* nach)
Erkundigung, *f.*, search, inquiry; **— einziehen (zog ein, eingezogen)**, *sep.*, to collect *or* obtain information
Erlangbarkeit, *f.*, attainability
erlangen, to get, attain, acquire; **wiedererlangen**, *sep.*, to regain
erlauben, to permit
Erlaubnis, *f.*, permission
erleben, to witness, live to see
erlegen, to slay; to pay down, deposit
Erleichterung, *f.*, relief, alleviation
erleiden (erlitt, erlitten), to suffer, endure
erloschen, extinguished

erlösen, to rescue, redeem
erlügen (o, o), to fabricate, invent
ermahnen, to admonish, exhort
ermannen, *refl.*, to get up courage
Ermessen, *n.*, judgment, opinion
ermitteln, to ascertain, find out
Ermittlungsarchiv, *n.*, file used for investigation
ermorden, to murder
ermuntern, to arouse, cheer up, enliven
ernähren, to nourish, support, maintain
erneuen *or* **erneuern,** to renew, renovate
ernsthaft, earnest, serious
ernten, to harvest
Erpressung, *f.*, extortion
errechnen, to find out by calculating
erregen, to excite, provoke, cause
erreichen, to reach, attain
erretten, to rescue, save
erringen (a, u), to win, obtain
Ersatz, *m.*, amends; substitute
erscheinen (ie, ie), to appear, be evident
erschöpfen, to exhaust
erschrecken, to frighten, terrify
erschrecken (a, o), to be frightened
erschreiben (ie, ie), to get by writing
erschüttern, to shake, move
erschwindeln, to obtain by swindling
ersehnen, to long for, desire
ersinnen (a, o), to contrive, devise
erstarrt, benumbed
erstatten, to compensate, restore; **zurückerstatten,** *sep.*, to return, restore
erstaunlich, astonishing, amazing
erstehen (erstand, erstanden), to arise, originate
ersticken, to choke, suffocate
erstreiten (erstritt, erstritten), to win, obtain
ersuchen, to implore, beg
ertappen, to detect, catch

ertönen, to resound
ertragen (u, a), to bear, stand, tolerate
ertragreich, productive, profitable
erübrigen, to save; *refl.*, to be superfluous
erwachen, to wake up
erwachsen (u, a), to grow up
erwähnen, to mention
erwarten, to await, expect; **zu erwartend,** to be expected
erweisen (ie, ie), to show; *refl.*, to prove, turn out to be
erwidern, to reply, return
erwischen, to catch, surprise
erzeigen, *see* **erweisen**
erziehen (o, o), to bring up, educate
Erziehung, *f.*, education, bringing-up
erzogen, educated, brought up
erzürnen, to irritate, provoke to anger
Esel, *m.*, donkey, ass
Etappe, *f.*, military halting place; leg of a trip
etwa, about; perhaps, by chance
ewig, eternal; **auf —,** forever, eternally
Ewigkeit, *f.*, eternity
Existenz, *f.*, existence, being
Expreßzug, *m.*, express train

Fabrik, *f.*, factory
Fabrikant, *m.*, manufacturer
fabrizieren, to manufacture, fabricate
Fach, *n.*, compartment, division; specialty, skill
Fachwelt, *f.*, professional world
fähig, capable, able
Fähigkeit, *f.*, capability
fahl, fallow; faded
Fahne, *f.*, flag; **zur Fahne rufen,** to call to the colors
fahren (u, a), to ride, go, travel; **aus dem Schlummer —,** to snap out of one's slumber; **abfahren,** *sep.*, to depart, leave; **einfahren,**

sep., to drive in, enter; **fortfahren**, *sep.*, to continue; **mitfahren**, *sep.*, to ride along
Fahrrad, *n.*, bicycle
Fahrt, *f.*, trip; ride
Fall, *m.*, fall, decay; case
fallen (ie, a), to fall; **abfallen**, *sep.*, to fall off; **auffallen**, *sep.*, to fall upon; strike; **es fällt mir auf**, I notice; **einfallen**, *sep.*, to fall in; **es fällt mir ein**, it occurs to me; **wegfallen**, *sep.*, to be absent; **zusammenfallen**, *sep.*, to collapse
Fälschung, *f.*, falsification, forgery
Familienpest, *f.*, family nuisance
Familienverbindung, *f.*, family relationship
fangen (i, a), to catch
Farbe, *f.*, color
farbig, colored
farblos, colorless
Fassade, *f.*, façade, front
fassen, to take, seize, take hold of; *refl.*, to recover from an emotion; to express oneself; **Entschlüsse —**, to come to conclusions, decide; **ein Herz —**, to get up courage; **zusammenfassen**, *sep.*, to grasp; to comprise
Fassungslosigkeit, *f.*, disconcertedness, loss of composure
fast, almost, nearly
Faust, *f.*, fist
Feder, *f.*, pen; feather; **in die — diktieren**, to dictate
fehlen, to miss; to do wrong; to be missing; **es fehlt an Juristen**, there is a lack of jurists; **es konnte nicht fehlen, daß . . .** it was unavoidable that . . .
Feierlichkeit, *f.*, pomp; solemnity
feiern, to celebrate, honor
feig, cowardly
Feile, *f.*, file
Feind, *m.*, enemy
Feindschaft, *f.*, enmity, hatred
Feldstecher, *m.*, field glass
Fels, *m.*, rock, cliff
Felsvorsprung, *m.*, rocky ledge

Felswand, *f.*, base of a cliff; steep, rocky side of a mountain
Fensterladen, *m.*, shutter
Ferienreise, *f.*, vacation trip
fern, distant, remote
Ferne, *f.*, distance
ferner, further
fernher, from a distance
fertig, ready, finished; **— bringen (brachte, gebracht)**, to manage, succeed
fest, fast, firm, stable
Festigkeit, *f.*, steadiness, firmness
feststellen, *sep.*, to fix, establish, confirm
feucht, moist, damp
feurig, fiery, passionate
fiebern, to have a fever
Filiale, *f.*, branch office
Finanzen, *pl.*, finances, cash
finden (a, u), to find, discover; **abfinden**, *sep.*, to pay off, settle with; **zurechtfinden**, *sep.*, to find one's way
finster, dark
Finsternis, *f.*, darkness
Firma, *f.*, firm, company
Fixigkeit, *f.*, smartness, nimbleness
flach, flat
Fläche, *f.*, flatness, plane surface
Flachland, *n.*, flat country, plain
Flasche, *f.*, bottle
Fleck, *m.*, spot, stain, blot
Fleisch, *n.*, meat, flesh
fletschen, to show (teeth)
fliegen (o, o), to fly; **abfliegen**, *sep.*, to take off; **hinausfliegen**, *sep.*, to fly out; **überfliegen**, *sep.*, to fly over; **zufliegen**, *sep.*, to fly to
fließen (o, o), to flow
florieren, to flourish
flößen, to cause to flow; to infuse; **einflößen**, *sep.*, to infuse, inspire with
flott, abundant; gay, fast
fluchen, to curse, swear
Flucht, *f.*, flight
flüchten, to flee, take refuge in

Flur, *f.*, field, meadow
Flur, *m.*, hall
Fluß, *m.*, river
Flußufer, *n.*, river bank
flüstern, to whisper
Folge, *f.*, result, consequence
folgen, to follow; to obey; **nachfolgen**, *sep.*, to follow, succeed
Folioseite, *f.*, large-sized sheet
Folter, *f.*, rack, torture
foltern, to put to the rack, torture
fordern, to demand, ask, require; **auffordern**, *sep.*, to call upon, invite
Forderung, *f.*, claim, demand
Forellenbach, *m.*, trout brook
Forscher, *m.*, researcher, scholar
Forstarbeiter, *m.*, forest worker, lumberjack
fort, forward; away; gone
fortfahren (u, a), *sep.*, to continue
Fortgang, *m.*, departure
fortholen, *sep.*, to haul *or* take away; to fetch
fortwährend, lasting, incessant
Frage, *f.*, question; — stellen, to ask a question
Fräsmaschine, *f.*, mill-machine
frech, insolent
freigeben (a, e), *sep.*, to set free, release
freilich, certainly, to be sure
fremdartig, strange, odd
Fremde, *m.*, stranger, foreigner
freudig, joyful
freuen, *refl.*, to rejoice
Freundschaftsdarlehen, *n.*, friendly loan
Friedensschluß, *m.*, conclusion of peace
friedlich, peaceful
frieren (o, o), to freeze
frischgepflügt, freshly plowed
frisieren, to dress *or* trim the hair
fromm, pious, religious
Fronturlaub, *m.*, regimental leave
Fronvogt, *m.*, taskmaster, supervisor of forced labor
Frühlingstag, *m.*, spring day

fühlen, to feel; **sie fühlte sich wohl**, she felt good
fühllos, without feeling
führen, to lead, conduct, carry on; **ausführen**, *sep.*, to carry out, execute, realize; **herbeiführen**, *sep.*, to carry out, effect; **überführen**, *sep.*, to convey over; **vorbeiführen**, *sep.*, to lead by; **wegführen**, *sep.*, to lead away
Fülle, *f.*, fullness, abundance
füllen, to fill; **anfüllen**, *sep.*, to fill up
Füllung, *f.*, filling, contents
Fund, *m.*, finding, discovery
funkeln, to sparkle, glitter
Furcht, *f.*, fear; **Todesfurcht**, *f.*, fear of death
furchtbar, frightful, terrible
fürchten, to fear; *refl.*, to be afraid
Fürsorge, *f.*, care, provision; [*here*] Department of Welfare
Fürst, *m.*, prince
Fußballspiel, *n.*, football game
Fußballwiese, *f.*, football field

gähnen, to yawn, gape
Galle, *f.*, gall, bile; rancor
Gamaschen, *pl.*, leggings
Gang, *m.*, course, way; corridor; movement; errand
Gans, *f.*, goose
ganz, all, entire, complete
ganz und gar, totally
gar, even
Garnknäuel, *n.*, ball of yarn
Gasthof, *m.*, hotel, inn
Gattin, *f.*, wife
Gaumennerv, *m.*, nerve in the gums
gebären (a, o), to give birth
Gebäude, *n.*, building; **Amtsgebäude**, *n.*, official building; **Wohngebäude**, *n.*, dwelling house
geben (a, e), to give; *refl.*, to be; *refl.*, *with* als, to appear as, play the role of; **anheimgeben**, *sep.*, to leave to; to merge; **bekanntgeben**, *sep.*, to announce;

drangeben, *sep.*, to sacrifice; freigeben, *sep.*, to set free, release; hergeben, *sep.*, to hand over, give away; **nachgeben**, *sep.*, to yield, give in

Gebiet, *n.*, district, sphere, field; Handelsgebiet, *n.*, sphere of business

gebildet, educated; shaped

Gebirg, *n.*, mountain, highlands, mountain chain

Gebirgskette, *f.*, chain of mountains, range

gebrauchen, to use; to need

Gebühr, *f.*, duty, fee; propriety

Geburt, *f.*, birth

Gebüsch, *n.*, bush, thicket

Gedächtnis, *n.*, memory

gedämpft, deadened, stifled, muffled

Gedanke, *m.*, thought, idea

Gefahr, *f.*, danger, peril; **in — kommen** (kam, gekommen), to be imperiled

gefährden, to endanger, risk

gefährlich, dangerous

Gefährt, *n.*, vehicle

gefallen (gefiel, gefallen), to please; es gefällt mir, I like it

Gefangene, *m.*, prisoner

Gefängnis, *n.*, prison, jail

Gefängniswesen, *n.*, prison matters

gefaßt, ready; calm

Gefecht, *n.*, fight, battle; action

Gefechtsbefehl, *m.*, combat order

Geflecht, *n.*, braided work; **Korbgeflecht**, *n.*, basket wickerwork

Gefolgsmann, *m.*, follower

Gefühl, *n.*, feeling, sensation

Gefühlseinfachheit, *f.*, simplicity of feeling

Gegend, *f.*, neighborhood, region, country

Gegendampf, *m.*, counter-steam

gegenseitig, mutual, reciprocal

Gegenstand, *m.*, subject

Gegenteil, *n.*, reverse, contrary; **im —**, on the contrary

gegenüber, opposite, across

gegenüberstehen (stand gegenüber, gegenübergestanden), *sep.*, to oppose (*with dat.*)

Gegenwart, *f.*, presence; present time

Gegenwert, *m.*, equivalent

Gegner, *m.*, enemy, opponent

geheim, secret

Geheimnis, *n.*, secret, mystery

gehen (ging, gegangen), to go; **— um**, (*acc.*), to be at stake; **zu Werke —**, to set about; **angehen**, *sep.*, to concern; **aufgehen**, *sep.*, to rise; to open; **ausgehen** *sep.*, to go out; to start; to emanate; **draufgehen**, *sep.*, to be spent; to perish; **eingehen**, *sep.*, to enter, penetrate; **hingehen**, *sep.*, to go, pass; **vorgehen**, *sep.*, to precede; to happen; **zugehen**, *sep.*, to go up to, move toward *or* close

Gehirn, *n.*, brain

gehorchen, to obey

gehören, (*dat.*), to belong to

gehorsam, obedient

Geier, *m.*, vulture

Geifer, *m.*, drivel, foam

Geist, *m.*, spirit, mind

geisterhaft, ghostly, ghostlike

geistern, to linger on like a ghost

Geistliche, *m.*, clergyman

Gekrächz, *n.*, croak

gekrallt, clutching

Gelächter, *n.*, laughter, ridicule

Gelände, *n.*, arable land; region; terrain

gelangen, to reach, arrive at

gelangweilt, bored

gelassen, calm, cool, even-tempered

gelb, yellow

Geldbedürftige, *m.*, person needing money

Geldschein, *m.*, bank note

Geldverleiher, *m.*, moneylender

Gelegenheit, *f.*, opportunity, occasion

gelegentlich, occasional, incidental

Gelenk, *n.*, joint, link; **Schultergelenk,** *n.*, shoulder joint

Geliebte, *f.*, mistress, sweetheart

gelingen (a, u), to succeed; **es gelingt ihm,** he succeeds

gellend, shrill, piercing

gelten (a, o), to be worth; to be esteemed; to pass for; to have influence; **es galt mir,** it was meant for me

Gelübde, *n.*, vow

gemächlich, slow, gradual; soft; comfortable

Gemahl, *m.*, husband

Gemahlin, *f.*, wife

gemahnen an, (*acc.*), to remind of

Gemälde, *n.*, painting, picture

gemein, common

Gemse, *f.*, chamois, Alpine goat

Gemüse, *n.*, vegetables

Gemüt, *n.*, disposition; mind, soul, spirit

gen = gegen, toward

genau, exact, accurate, precise

Genauigkeit, *f.*, accuracy, precision

Generalversammlung, *f.*, general meeting

genesen (a, e), to recover, get well

genialerweise, ingeniously

Genick, *n.*, nape, neck

genießen (o, o), to benefit, enjoy

Genosse, *m.*, comrade, companion, accomplice; **Anstaltsgenosse,** *m.*, fellow inmate; **Zimmergenosse,** *m.*, roommate

genügen, to be enough, (*with dat.*); to satisfy

genügend, sufficient

Genugtuung, *f.*, satisfaction

Genuß, *m.*, enjoyment, use

Gepäcknetz, *n.*, baggage rack

gepolstert, upholstered

gerade, even; quite, just (especially)

geradezu, directly; flatly; actually; almost

geraten (ie, a), to get into; to start to

geräumig, spacious

Geräusch, *n.*, noise

gerecht, just, righteous

Gerechtigkeit, *f.*, justice, right

Gericht, *n.*, court of justice; **vor —,** in court; **das untere —,** lower court

gerichtlich, legal, judicial; **gerichtliche Klage,** legal action

Gerichtssaal, *m.*, courtroom

gering, small, unimportant; limited

Gerücht, *n.*, rumor

geruhsam, quiet, peaceful

gesamt, whole, entire

Geschäft, *n.*, business, employment, affair

Geschäftsabschluß, *m.*, business deal

Geschäftsgebarung, *f.*, manner of carrying on a business

geschehen (a, e), to happen

gescheit, shrewd, clever, intelligent

Geschenk, *n.*, gift

Geschichte, *f.*, story, history

Geschmack, *m.*, taste

Geschöpf, *n.*, creature

Geschoß, *n.*, missile, bullet, projectile

Geschrei, *n.*, cries, shouting

geschult, schooled, trained, experienced

geschwollen, swollen

gesegnet, blessed

Geselligkeit, *f.*, sociability, social life

Gesellschaft, *f.*, society; social gathering; company; **Versicherungsgesellschaft,** *f.*, insurance company

gesellschaftlich, social; co-operative

Gesetz, *n.*, law; **unterm selben — stehen (stand, gestanden),** have the same law apply

Gesetzbrecher, *m.*, lawbreaker, criminal

Gesetzesvolk, *n.*, law-abiding nation
Gesetzmäßigkeit, *f.*, conformity with the law, legality
Gesicht, *n.*, face; verklärten Gesichtes, with a radiant face
Gesichtsausdruck, *m.*, facial expression
Gesinnung, *f.*, disposition, conviction, sentiment; ehrlose —, dishonorable intent
Gesinnungslumperei, *f.*, unscrupulousness in regard to convictions
gespornt, with spurs
Gespräch, *n.*, conversation, talk
Gesprächston, *m.*, tone of voice
gestaffelt, in echelon formation
Gestalt, *f.*, figure, shape, form
gestalten, to form, fashion, arrange
gestatten, allow, permit, grant
Geste, *f.*, gesture
gestehen (gestand, gestanden), to admit, acknowledge; eingestehen, *sep.*, to confess, grant, admit
gesteppt, quilted
gestreift, striped
gesund, healthy
Gesundheit, *f.*, health
getönt, in a tone
getrost, comforted; confident
gewahr, aware
Gewalt, *f.*, power, violence, force
gewaltig, powerful, violent; tremendous
gewaltsam, powerful, violent
Gewand, *n.*, garment, robe
Gewerbe, *n.*, trade, business, profession
Gewicht, *n.*, weight, importance, stress; Hauptgewicht, *n.*, chief stress; importance
Gewinn, *m.*, profit, gain
gewinnen (a, o), to win, acquire, assume; liebgewinnen, *sep.*, to take a fancy to
gewiß, certain; of course

Gewissen, *n.*, conscience
gewissenhaft, conscientious, scrupulous
Gewissensnot, *f.*, compulsion of conscience
gewissermaßen, in a certain manner, so to speak
Gewißheit, *f.*, certainty
Gewitterecke, *f.*, storm corner *or* space
Gewohnheit, *f.*, habit, practice
gewohnheitsmäßig, habitual
gewöhnlich, usual, customary
gewohnt, accustomed
Gewöhnung, *f.*, custom, habit
Gewölbe, *n.*, vault
Gewünschte, *n.*, that which is desired
gezirkelt, twirled
Giebelwand, *f.*, end of a gable
Gier, *f.*, desire, eagerness; greed
gierig, eager, greedy
Gießbach, *m.*, mountain torrent
Gift, *n.*, poison
Gipfel, *m.*, summit
Gipsmaske, *f.*, plaster mask
Gitterwerk, *n.*, grating, trellis
glänzend, brilliant, splendid, gleaming
glanzvoll, brilliant
gläsern, glassy
glatt gescheitelt, with smoothly parted hair
glätten, to smooth, even
Gläubige, *m.*, believer, faithful person
Gläubiger, *m.*, creditor
gleich, straight; like; same; *adv.*, immediately
gleichen (i, i), (*dat.*), to equal; to resemble
gleichgültig, indifferent
gleichmäßig, uniform, similar, equal
gleichzeitig, at the same time, simultaneous
Gleis, *n.*, track
Glied, *n.*, limb; joint

Glocke, *f.*, bell
Glockenschlag, *m.*, stroke of the hour
Glockenturm, *m.*, bell tower
glotzen (auf jemand), to gape (at a person); **anglotzen**, *sep.*, to stare at; **entgegenglotzen**, *sep.*, to stare out against
Glück, *n.*, luck, happiness
glückselig, extremely happy, blissful
glühen, to glow
gönnen, not to begrudge; to grant
Grab, *n.*, grave, tomb
Grad, *m.*, degree, stage
gramvoll, gloomy, sad
Grasfläche, *f.*, grassy surface
Grauen, *n.*, terror
Grazie, *f.*, gracefulness
greifen (griff, gegriffen), to grasp, seize; **aufgreifen**, *sep.*, to snatch up, grab; **zugreifen**, *sep.*, to lay hold of
Greifwerk, *n.*, grip
Grenze, *f.*, boundary, border
Griff, *m.*, handle
grob, coarse; thick
Gröhlgesang, *m.*, squalling song
großartig, grand, magnificent
großbürgerlich, of the upper middle class
Größe, *f.*, size, greatness
Großnichte, *f.*, grandniece
Großzahl, *f.*, large number, most, majority
großzügig, grandiose; liberal
Gruft, *f.*, grave, vault; **Ehrengruft**, *f.*, tomb of honor
Grund, *m.*, ground; foundation, basis, cause; **im Grunde**, basically
gründen, to found, establish
gründlich, thorough, fundamental
Grundsatz, *m.*, principle
Grundtakt, *m.*, basic rhythm
grünhäutig, olive-skinned
günstig, favorable, advantageous
Gurgel, *f.*, throat
Guß, *m.*, pouring out, cast, casting

gutbürgerlich, solid middle-class
Güte, *f.*, kindness, goodness
Güterzug, *m.*, freight train
Guthaben, *n.*, credit, balance due, bank account
gütig, kind, kindly
gutmütig, good-natured

haben (hatte, gehabt), to have, possess; **innehaben**, *sep.*, to possess, occupy, hold; **vorhaben**, *sep.*, to have in view, intend
Habicht, *m.*, hawk
Habseligkeit, *f.*, property, effects
Haft, *f.*, custody, imprisonment
haften, to cling to, remain; **anhaften**, *sep.*, to adhere to; to be connected with
halbwegs, halfway; tolerably
Hälfte, *f.*, half
Hall, *m.*, sound
Halle, *f.*, hall
Hals, *m.*, neck, throat; **Hals über Kopf**, head over heels
Halt, *m.*, hold; stop, halt; — **machen**, to stop
halten (ie, a), to hold, keep; to stop; *refl.*, to behave; to hold out; — (für), to consider, take to be; **anhalten**, *sep.*, to stop; to hold to, restrain; **aushalten**, *sep.*, to endure; **einhalten**, *sep.*, to check, restrain; to observe; to keep
haltlos, without support, unsteady
Haltung, *f.*, bearing, deportment; holding attitude
handeln um, *refl.*, to concern, be at stake; [*here*] to be
Handelsblatt, *n.*, trade journal; commercial-news page
Handelsgebiet, *n.*, sphere of business
handfest, strong, stalwart
Handfläche, *f.*, palm
Handlanger, *m.*, handyman, underling, helper
Handlung, *f.*, action, deed
Handtasche, *f.*, handbag
Handtuch, *n.*, towel

hängen (i, a), to hang, be suspended; **— an,** (*dat.*) to be attached to; **abhängen,** *sep.,* to hang down; *with* **von,** to depend upon; **zusammenhängen,** *sep.,* to hang together, be connected
Hantel, *f.,* dumbbell
hantieren, to work with the hands, be active
harren, to await; **ausharren,** *sep.,* to hold out, wait
Härte, *f.,* hardness, severity
hartnäckig, obstinate
Hasard, *m.,* gambling
Haß, *m.,* hate
häßlich, ugly
Hauch, *m.,* breath; breeze; aspiration
Haufen, *m.,* heap, pile
häufen, *refl.,* to accumulate, pile up
häufig, abundant, frequent
Haupt, *n.,* head, chief
Hauptgewicht, *n.,* principal weight, importance *or* stress
Häuptling, *m.,* chief, leader
Hauptmann, *m.,* captain
Hauptstadt, *f.,* capital
Hauptstrecke, *f.,* main railroad line
Haupttal, *n.,* main valley
Hauptteil, *m.,* main part
Haushalt, *m.,* household
Hausherrin, *f.,* mistress of the house
Haut, *f.,* skin
Hebamme, *f.,* midwife
Hebel, *m.,* lever, lifting instrument
heben (o, o), to lift, raise up; *refl.,* to elevate *or* be elevated; **abheben,** *sep., refl.,* to lift off; to contrast; to detach oneself; **aufheben,** *sep.,* to lift, raise, pick up; to suspend; to do away with
Heer, *n.,* army
heftig, violent, furious
hehr, exalted, majestic
heilen, to heal, cure
heilig, sacred
Heimat, *f.,* home, homeland
heimkehren, *sep.,* to return home
heimlich, secret, private
heimzahlen, *sep.,* to repay
heiraten, to marry
heißen (ie, ei), to call, name; to bid, tell; **der Befehl hatte geheißen...** the order had been...
heißgelaufen, run hot
heiter, happy, cheerful; calm
Heiterkeit, *f.,* happiness, cheerfulness
Held, *m.,* hero
hell, light, bright
hellhörig, clairaudient, quick of hearing
hellicht, bright, shiny; **beim hellichten Tage,** in broad daylight
Helm, *m.,* helmet; **Stahlhelm,** steel helmet
Hemmung, *f.,* restraint, stopping
her, hither, here; ago, since
Herablassung, *f.,* condescension
herabsetzen, *sep.,* to lower, reduce
herabstürzen, *sep.,* to plunge downward
herabtraben, *sep.,* to jog downward
heransausend-schießend, onrushing, darting
heranschleichen (i, i), *sep.,* to sneak up on
heranwachsen (u, a), *sep.,* to grow up
heranziehen (zog heran, herangezogen), *sep.,* to draw on; to interest in; to train
Herauffahrt, *f.,* ascent
heraufklingen (a, u), to sound upward, be heard from below
heraufkommen (kam herauf, heraufgekommen), *sep.,* to come up, rise
herausdrücken, *sep.,* to press outward
herausklagen, *sep.,* to tell, relate all one's grievances
herausspringen, *sep.,* to leap out
herbeiführen, *sep.,* to carry out, effect
Herbstregen, *m.,* autumn rain

hereinsausen, *sep.*, to rush in, whiz in
hereinstrecken, *sep.*, to stretch in
hergeben (a, e), *sep.*, to give away, hand over
herkommen (kam her, hergekommen), *sep.*, to approach; to be caused by, come from
herkömmlich, traditional, customary, usual
Herr, *m.*, master, lord, Mr.
herrlich, splendid, magnificent
Herrschaft, *f.*, control, command, power; persons of rank
Herrschaftsköchin, *f.*, cook on an estate
herrschen, to rule
herstellen, *sep.*, to set up, establish; to produce; to restore to health
herumbuddeln, *sep.*, to dig around; [*here*] to mess around
herumdrehen, *sep.*, to revolve about
herumschleudern, *sep.*, to throw about
heruntergekommen, reduced in circumstances, "in the dumps"
herunterrutschen, *sep.*, to glide down, slide down
herunterziehen (zog herunter, heruntergezogen), *sep.*, to pull off
hervornehmen (a, hervorgenommen), *sep.*, to take out
hervorragen, *sep.*, to project, stand out
hervortreten (a, e), *sep.*, to step forward, come forward, come forth
hervorstoßen (ie, o), *sep.*, to thrust out; to exclaim
Herz, *n.*, heart; ein — fassen, *refl.*, to get up courage
Herzensschicksal, *n.*, destiny in affairs of the heart
herzlich, cordial, affectionate
herzzerschneidend, heartrendingly
hetzen, to hunt; to provoke; aufhetzen, *sep.*, to stir up, incite

hierher, to this place
Hiersein, *n.*, presence, being here
Hilfe, *f.*, help, aid
himmelblau, sky-blue
hin, along; there; — sein, to be ruined, undone, dead
hinabbohren, *sep.*, to bore *or* burrow downwards
hinabkollern, *sep.*, to roll down
hinabsteigen (ie, ie), *sep.*, to descend
hinaufgetrieben, driven upward
hinaufsteigen (ie, ie), *sep.*, to ascend, mount
hinausfliegen (o, o), *sep.*, to fly out
hinausgebaut, built out
hinausspringen (a, u), *sep.*, to jump out
hindern, to hinder, impede
hineinfahren (u, a), *sep.*, to travel into, get into
hineingebaut, built into
hineinhorchen, *sep.*, to listen in *or* into, heed
hineinschießen (o, o), *sep.*, to burst forth into
hineinsehen (a, e), *sep.*, to look within
hineinstarren, *sep.*, to stare into
hineinsteigen (ie, ie), *sep.*, to enter
hinfällig, frail, weak; untenable
Hingabebereitschaft, *f.*, readiness to give away
hingegen, on the contrary, on the other hand
hingehen (ging hin, hingegangen), *sep.*, to go; to pass
hinknien, *sep.*, to kneel down
hinnehmen (nahm hin, hingenommen), *sep.*, to transport; to bear, put up with
hinrichten, *sep.*, to execute
hin- und herschleudern, *sep.*, to toss back and forth
hinschwinden (a, u), *sep.*, to vanish; to dwindle away
hinsehen (a, e), *sep.*, to look at
hinstreuen, *sep.*, to strew out, scatter about

Hintergrund, *m.*, background
hinterlassen (ie, a), to leave behind
hintreiben (ie, ie), to drift along
hinüber, over there, that way
hinunterkommen (kam hinunter, hinuntergekommen) *sep.*, to fall; to deteriorate
hinunterstürzen, *sep.*, to "toss down the hatch"
hinweisen (ie, ie), *sep.*, to show to; — auf, (*acc.*), to point to, refer to
hinwerfen (a, o), *sep.*, to throw away
hinzudichten, *sep.*, to invent *or* devise in addition
Hirn, *n.*, brain, mind
Hirnhautentzündung, *f.*, meningitis
Hobelspanhaufen, *m.*, pile of shavings
hochachtungsvoll, most respectful
hochblond, platinum blond
Hochgebirge, *n.*, high mountain chain
Hochgebirgslandschaft, *f.*, landscape of a chain of high mountains
Hochgebirgstal, *n.*, valley of a high mountain chain
Hochgebirgswand, *f.*, side *or* wall of a high mountain chain
hochgenommen, raised
hochgeschlagen, turned up
hochgestreckt, stretched up
Hochkonjunktur, *f.*, business prosperity, boom
hochmütig, proud, arrogant
hochschwanger, far advanced in pregnancy
höchst, highest, utmost, extreme
hochstemmen, *sep.*, to lift high
höchstgelegen, highest situated
hochverehrt, highly honored
Hochverrat, *m.*, high treason
hocken, to crouch, squat
Hof, *m.*, yard, courtyard; court
Hoffnung, *f.*, hope; Hoffnungslosigkeit, *f.*, hopelessness

höflich, polite
Höflichkeitsszene, *f.*, scene of politeness
Höhe, *f.*, height
Höhenkurort, *m.*, mountain health resort
Höhepunkt, *m.*, high point, peak
hohl, hollow
Hohn, *m.*, scorn
holen, to get, fetch; to haul; abholen, *sep.*, to call for; einholen, *sep.*, to bring in; to make up for; erholen, *refl.*, to recover; fortholen, *sep.*, to haul away; to fetch; nachholen, *sep.*, to make up for; to recover
Höllentempo, *n.*, high (hellish) speed
Holzarbeiter, *m.*, lumber worker, woodworker
Holzstaub, *m.*, sawdust
Holzwerk, *n.*, woodwork, framework
Holzzug, *m.*, freight train carrying timber
Hopser, *m.*, hop, lively dance
hörbar, audible
horchen, to hearken, listen; hineinhorchen, *sep.*, *with* auf (*acc.*), to listen in to, heed
Horde, *f.*, horde, gang
Hörnähe, *f.*, earshot, hearing distance
Hörsaal, *m.*, lecture hall
Hosenknie, *n.*, knee of trousers
Hosentasche, *f.*, pocket of trousers
Hosenträger, *m.*, *pl.*, braces, suspenders
hübsch, pretty; nice, proper
Hüfte, *f.*, hip
Hügel, *m.*, hill
hüllen, to cover, envelop; einhüllen, *sep.*, to wrap in, envelop
hundertprozentig, 100 per cent
hundertweise, by the hundreds
huschen, to slip away, vanish
Hüsteln, *n.*, repeated slight coughing
Hut, *f.*, care, guard, protection

Hut, *m.*, hat
Hütte, *f.*, cottage, hut; **Almhütte,** *f.*, shepherd's hut; **Bahnhütte,** *f.*, trainman's hut

immerhin, still, yet
indes, meanwhile
Indienfahrer, *m.*, ship headed for India
Industriegesellschaft, *f.*, industrial corporation
ineinander, into one another
Ingenieur, *m.*, engineer
Inhaber, *m.*, possessor, proprietor
Inhalt, *m.*, contents
inmitten, in the middle of
innehaben (hatte inne, innegehabt), *sep.*, to possess, occupy, hold
Insasse, *m.*, inmate, passenger
Inschrift, *f.*, inscription
Insel, *f.*, island
Inselvolk, *n.*, islanders
Internat, *n.*, boarding school
intim, intimate
Intrigant, *m.*, intriguer
irgend, any, some
irgendwo, somewhere
irren, *refl.*, to be mistaken
Irrtum, *m.*, error, mistake
Isabellfarbe, *f.*, cream color

Jahrhundert, *n.*, century
Jahrzehnt, *n.*, decade
jammervoll, pitiable, miserable
je, ever, at any time
jedenfalls, in any case, however
jedoch, however, nevertheless
jüdisch, Jewish
Jugendzeit, *f.*, youth
Jüngling, *m.*, young man, youth
Jünglingsleidenschaft, *f.*, youthful passion
jüngst, youngest, most recent
juristisch, legal
Justizfunktionär, *m.*, law official

Kaffeetasse, *f.*, coffee cup
Kai, *m.*, wharf, pier
Kaimauer, *f.*, wall of a pier
Kajüte, *f.*, cabin; **erster —,** first class; **zweiter —,** cabin class; **dritter —,** tourist *or* third class
Kamin, *m.*, chimney, fireplace
kämpfen, to fight, struggle
Kante, *f.*, edge, border, ledge
Kanzler, *m.*, chancellor
Kapitalauflösung, *f.*, dissolution of capital
karg, miserly, scant
Karren, *m.*, cart
Karriere, *f.*, career
Karussellbesitzer, *m.*, merry-go-round owner
Karussellmann, *m.*, merry-go-round owner
Kaserne, *f.*, barracks
Katakombe, *f.*, catacomb
kaufmännisch, commercial
kaum, hardly, scarcely
Kegelform, *f.*, shape of a cone
Kegelkuppe, *f.*, peak of a cone
Kegelspitze, *f.*, tip of a cone
kehren, to sweep; to turn; **wiederkehren,** *sep.*, to return, come back; **zurückkehren,** *sep.*, to return, go back
keimen, to germinate, sprout
keineswegs, in no way, by no means
Kellner, *m.*, waiter
kennenlernen, *sep.*, to get to know
Kenntnis, *f.*, knowledge, skill
Kerker, *m.*, jail
Kerkerbau, *m.*, prison building
Kerl, *m.*, fellow, guy
Kette, *f.*, chain, string
keuchen, to gasp, cough
Keulenschlag, *m.*, blow of a club
kichern, to giggle, titter
kindhaft, childlike
Kindheitserlebnis, *n.*, childhood experience
Kinn, *n.*, chin
Kirren, *n.*, cackle, coo
Kissen, *n.*, pillow
Klage, *f.*, complaint; **gerichtliche —,** legal action

klagen, to complain, lament; **anklagen,** *sep.*, to accuse; **herausklagen,** *sep.*, to tell, relate all one's grievances
klammern, to clasp, clamp; **anklammern,** *sep.*, to cling; **einklammern,** *sep.*, to inclose in brackets
Klang, *m.*, ringing, sound
Klappern, *n.*, clatter, rattle
Klapptisch, *m.*, folding table
klären, to clear, clarify
klatschen, to clap; to smack
kleben, to paste, stick; — **an,** to adhere to
kleiden, to dress
kleinlich, rather small, petty
Klemmer, *m.*, pince-nez
klingen (a, u), to ring, sound; **heraufklingen,** *sep.*, to sound upward, be heard from below
klirren, to clank, clatter
knacken, to crackle
knallen, to explode, detonate; to crack, smack; **zurückknallen,** *sep.*, to smash back; **zusammenknallen,** *sep.*, to click
Knauf, *m.*, knob
Knie, *n.*, knee
Kniebeuge, *f.*, knee-bend, genuflection
kniehoh, knee-high
knien, to kneel; **hinknien,** *sep.*, to kneel down
knirschen, to gnash, grind
knistern, to crackle; to flicker
Knochen, *m.*, bone
Knopf, *m.*, button
knüpfen, to tie, fasten; **anknüpfen,** *sep.*, to tie, fasten, join; **aufknüpfen,** *sep.*, to untie, unfasten
Köder, *m.*, bait, lure
Koffer, *m.*, trunk
Kohle, *f.*, coal
Kollegium, *n.*, board, staff, panel of judges
kollern, to roll; **hinabkollern,** *sep.*, to roll down

Kolonialgeschichte, *f.*, colonial history
kommandieren, to order
kommen (kam, gekommen), to come; **ankommen,** *sep.*, to arrive; **davonkommen,** *sep.*, to escape; to survive; **entgegenkommen,** *sep.*, to come up to meet; **heraufkommen,** *sep.*, to come up, rise; **herkommen,** *sep.*, to come from *or* to; to be caused by; **hinunterkommen,** *sep.*, to fall; to deteriorate; **vorkommen,** *sep.*, to happen, come to pass; to come forth, appear
Kommilitone, *m.*, fellow student
Kommissionsgebühr, *f.*, commission
Kommode, *f.*, chest of drawers
kompromittieren, to compromise; to expose
Konkurrent, *m.*, competitor
Konkurrenz, *f.*, competition
konstatieren, to substantiate
Konto, *n.*, account, credit
Kontor, *n.*, office
Kopfschütteln, *n.*, shake of the head
Korbgeflecht, *n.*, basket wickerwork
Korkenzieher, *m.*, corkscrew
Korkweste, *f.*, cork jacket (lifesaver)
Körper, *m.*, body
körperlich, physical, bodily
körperlos, bodiless, devoid of substance
Körperverletzung, *f.*, bodily injury
krabbeln, to crawl about
krachen, to crack, crash, roar
Kraft, *f.*, power, strength, force
kräftig, powerful, forceful
Kragen, *m.*, collar
Krämervolk, *n.*, nation of shopkeepers
krampfen, *refl.*, to clasp convulsively
krampfig, spasmodic, convulsive

kränkeln, to be in poor health
Krankheit, *f.,* illness
kratzen, to scrape, scratch
Kreis, *m.,* circle, orbit
kreischen, to shriek, screech
kriechen (o, o), to creep, crawl
Krieger, *m.,* warrior
Kriegerverein, *m.,* ex-servicemen's association
Kriegsausbruch, *m.,* outbreak of war
Kriegsheld, *m.,* war hero
Kriegssold, *m.,* wartime pay
Kriegsverbrecher, *m.,* war criminal
Kriminalist, *m.,* practitioner of criminal law
Kriminalrichter, *m.,* criminal-court judge
Krume, *f.,* crumb
krumm, crooked, curved, dishonest
Kübel, *m.,* bucket, tub
Kugel, *f.,* bullet
Kuh, *f.,* cow
kühl, cool
Kulturbestrebung, *f.,* cultural endeavor
Kulturpflicht, *f.,* cultural obligation
kümmerlich, sorrowful; miserable, wretched
kümmern um, *refl.,* to be concerned about
Kunde, *m.,* customer, client
Kunde, *f.,* information, notice
kündigen, to give notice *or* warning; **ankündigen,** *sep.,* to announce, proclaim
künftig, future, coming
Künstler, *m.,* artist
künstlich, artificial
kunstreich, artistic; ingenious
Kuppe, *f.,* top, summit; **Kegelkuppe,** *f.,* peak of a cone
Kuppel, *f.,* dome, spire
Kuppelung, *f.,* coupling
Kürbis, *m.,* pumpkin
Kurgast, *m.,* patient at a health resort

Kurortstation, *f.,* health-resort station
Kurve, *f.,* curve
kürzlich, lately, recently
Kurzwarenreisende, *m.,* traveling salesman in small wares *or* haberdashery
Kutscher, *m.,* coachman

Lächeln, *n.,* smile
lackieren, to lacquer, varnish
Laden, *m.,* store; shutter
Lage, *f.,* situation, condition
Lager, *n.,* camp; couch, bed
lagern, to lie spread out; to store; *refl.,* to lie down; to encamp; **vorlagern,** *sep.,* to stretch out *or* extend before
lähmen, to paralyze
Laie, *m.,* layman
Lampenschirm, *m.,* lamp shade
Landarbeiter, *m.,* farm worker, farm hand
Landschaft, *f.,* scenery, landscape
Landstraße, *f.,* highway
Länge, *f.,* length; **Wagenlänge,** *f.,* car length
langen, to reach (for), reach and give; **anlangen,** *sep.,* to arrive at, reach
Langeweile, *f.,* boredom
langfristig, long-term
langhaarig, long-haired
langsam, slow
längst, long ago, long since
lärmen, to make a noise, be noisy
lassen (ie, a), to let, allow; to cause to; **ablassen,** *sep.,* to let off; to start; **anlassen,** *sep., refl.,* to promise, be; **loslassen,** *sep.,* to let go, release
Last, *f.,* burden, load
Lastauto, *n.,* truck
lasten *with* **auf,** (*dat.*), to weigh heavily upon
Laterne, *f.,* lantern (also in mills)
Lauf, *m.,* course, career, run
laufen (ie, au), to run; **einlaufen,** *sep.,* to come in, arrive

Laufgang, *m.*, gallery, corridor
Laune, *f.*, humor, temper, mood, fancy
lauschen, to listen to
Laut, *m.*, sound
laut, noisy
lauter, clear, genuine
Lazarett, *n.*, military *or* prison hospital
leben, to live; **aufleben,** *sep.*, to be revived
lebendig, lively, living, vivacious
Lebensdurst, *m.*, thirst *or* desire for life
Lebensform, *f.*, way of life
lebensfroh, happy
Lebensführung, *f.*, conduct of life
Lebenshoffnung, *f.*, life's hope
Lebensunterhalt, *m.*, maintenance, support
Lebenszeit, *f.*, lifetime; **auf —,** for life
leblos, lifeless
lecken, to lick; **auflecken,** *sep.*, to flare up
ledern, of leather
leer, empty, blank; inane
legen, to lay, place; **ablegen,** *sep.*, to put away, lay down; to give (report, account); **bloßlegen,** *sep.*, to expose, unearth; **zurechtlegen,** *sep.*, to explain, account for
lehnen, to lean; **ablehnen,** *sep.*, to decline, refuse; **zurücklehnen,** *sep.*, to lean back
lehren, to teach, show
Leib, *m.*, body, belly
leibhaftig, living; in one's own person
Leiche, *f.*, corpse
leichtfertig, light, loose, frivolous
leid, disagreeable
leid tun, (*dat.*), to be sorry
leiden (litt, gelitten), to suffer; **... worunter er litt ... ,** from what he suffered
Leidenschaft, *f.*, passion; **Jünglingsleidenschaft,** *f.*, youthful passion
leider, sorry to say, unfortunately
leihen (ie, ie), to loan
Leihsumme, *f.*, amount loaned
Leinen, *n.*, linen
leise, gentle, delicate, soft
leisten, to perform, accomplish
Leitartikel, *m.*, leading article, editorial
leiten, to lead, conduct, convey
Leiter, *m.*, leader; **Versammlungsleiter,** *m.*, leader of the gathering
Lende, *f.*, thigh, hip
lenken, to bend, turn, direct
letzthin, lately, recently
leuchten, to shine, emit light; **aufleuchten,** *sep.*, to shine, light up
Lichtempfindlichkeit, *f.*, sensitivity to light
lichten, to clear up
lichterloh brennen (brannte, gebrannt), to be ablaze
Lid, *n.*, eyelid
lieber, rather, sooner, better
liebevoll, loving
liebgewinnen (a, o), *sep.*, to take a fancy to
Liebkosung, *f.*, caress
lieblich, lovely, charming, pleasing
Lieferant, *m.*, supplier, contractor
liefern, to deliver; to supply; **abliefern,** to consign; to deliver
liegen (a, e), to lie, be situated; **im Argen —,** to be wicked; be in a bad state; **daran lag ihm nicht viel,** it did not matter much to him; **unterliegen,** to be defeated; *sep.*, to underlie; **wachliegen,** *sep.*, to lie awake; **zurückliegen,** *sep.*, to be in the past, hark back
Linke, *f.*, left hand
Linse, *f.*, lentil; lens
lispeln, to lisp
listig, cunning, crafty
Lithograph, *m.*, lithographer
livriert, uniformed

loben, to praise
Loch, *n.*, hole
lockern, *refl.*, to give way, relax
Löffel, *m.*, spoon; Erdbeerlöffel, *m.*, strawberry spoon
Lohnausfall, *m.*, loss of wages
Lohnbauer *m.*, tenant farmer
Lohntag, *m.*, pay day
Lokalzug, *m.*, local train
Lokomotivführer, *m.*, locomotive engineer
Los, *n.*, lot, fate
lösen, to loosen, untie; to dissolve
loslassen (ie, a), *sep.*, to let go, release
loslösen, *sep.*, to loosen, detach; *refl.*, to disengage oneself
losreißen (i, i), *sep.*, to tear off
loszucken, *sep.*, to flash free
Luft, *f.*, air
luftbebend, vibrating, trembling with air
Luftdruck, *m.*, air pressure
Luftwand, *f.*, wall of air
Lüge, *f.*, lie, falsehood
lügegewohnt, accustomed to telling lies
lügenhaft, deceitful, false
Lust, *f.*, lust; pleasure; desire
lustig, gay, merry; sich lustig machen über, to make fun of
Luxus, *m.*, luxury

machen, to make; to do; daran —, *refl.*, to set to, begin to; durchmachen, *sep.*, to go through, experience; auf etwas —, *refl.*, to start, begin; Halt —, to stop
Macht, *f.*, power, force
mächtig, powerful
Machtmaschine, *f.*, power machine
mager, meager, poor, thin
mähen, to mow down
Mahlzeit, *f.*, meal
Mähne, *f.*, mane
mahnen, to admonish, warn, remind
Makel, *m.*, spot, fault
makellos, faultless, perfect
Mal, *n.*, time; Mal zu Mal, time to time; mit einem Mal, suddenly, abruptly
malen, to paint
Mangel, *m.*, want, lack, deficiency
mangelhaft, defective, faulty
maniakalisch, maniacal, mad
manisch, mad
Mannschaft, *f.*, body of men, troops; team; Sanitätsmannschaft, detail of medical-corps personnel
Manöver, *n.*, maneuver, trick
Marotte, *f.*, caprice, whim
martern, to torture, torment
Maß, *n.*, measure, proportion, degree; ohne —, limitless
mäßig, moderate
maßlos, without measure, boundless
Maßnahme, *f.*, mode of action, measure
Matrose, *m.*, sailor, seaman
Matte, *f.*, meadow
Maul, *n.*, mouth (of beasts)
Maxime, *f.*, maxim
Meer, *n.*, sea
Mehrheit, *f.*, majority
mehrmals, several times, again and again
meiden (ie, ie), to avoid
meinen, to mean, think; to see fit
Meinung, *f.*, thought, opinion
meißeln, to chisel
Meldung, *f.*, notification; report
Menge, *f.*, great quantity, mass; crowd
Menschenstellung, *f.*, human posture *or* position
menschlich, human
merkbar, noticeable
merklich, noticeable
Merkmal, *n.*, mark, characteristic
messen (maß, gemessen), to measure, scan; zumessen, *sep.*, to mete out
Miene, *f.*, expression, countenance
Milch, *f.*, milk
mild, mild, gentle, charitable
mildern, to soften, moderate

Millionenfältigkeit, *f.*, a million times
mindest, least, smallest
Minister, *m.*, member of the cabinet, secretary of a government department
Mischung, *f.*, mixture
mißfällig, displeasing, disagreeable
Mitgift, *f.*, dowry
Mitglied, *n.*, member
Mitleid, *n.*, pity
mitnehmen (a, mitgenommen), *sep.*, to take along
Mitreisende, *m.*, travel companion
mitteilen, *sep.*, to communicate, inform
Mittel, *n.*, remedy, expedient, means
mittelalterlich, medieval
mittellos, without means, poor
mitten, in the midst of
mitunter, among other things; occasionally
mitvernichten, *sep.*, to annihilate together
möbliert, furnished
möglicherweise, possibly, perhaps
Möglichkeit, *f.*, possibility
Mohrenfigur, *f.*, moor's figure
Monatsrapport, *m.*, monthly report
Mond, *m.*, moon
monströs, monstrous
morastig, marshy, muddy
Mord, *m.*, murder
Morgennebel, *m.*, morning fog *or* mist
Mücke, *f.*, gnat, mosquito
müde, tired, weary; **die waren es —, auf ihr Erbe zu warten,** they were tired of waiting for their inheritance
muffig, musty
Mühe, *f.*, trouble
mühelos, without trouble, effortless
Mühsal, *f.* & *n.*, toil, trouble
mühsam, toilsome, painstaking

Mulde, *f.*, tray; trough; hollow; **Bodenmulde, Erdmulde,** depression, hollow in the ground
Mund, *m.*, mouth
Mundbezirk, *m.*, region of the mouth
mündlich, oral
Mundwinkel, *m.*, corner of the mouth
munter, lively, gay, vigorous
murmeln, to murmur
Muskelkraft, *f.*, strength *or* activity of the muscles
mustern, to survey, examine critically
Mut, *m.*, courage, spirit; **zu Mute sein,** (*dat.*), to feel
Mütze, *f.*, cap
Mützenrand, *m.*, rim of a cap, visor

nachdenken (dachte nach, nachgedacht), to think, ponder, muse
nachfolgen, *sep.*, to follow, succeed
Nachforschung, *f.*, investigation, inquiry
nachgeben (a, e), *sep.*, to give in to, yield
nachher, afterwards, subsequently
nachholen, *sep.*, to make up for, recover
Nachricht, *f.*, news, account, information
Nachsicht, *f.*, indulgence, forbearance
nachstarren, *sep.*, to stare after
Nächstliegende, *n.*, nearest thing at hand
nächtigen, to spend the night
nächtlich, nocturnal; gloomy
Nachtrag, *m.*, supplement, addition
nachzählen, *sep.*, to count over
nackt, naked, bare
nageln, to nail, spike
nahe, near, close
Nähe, *f.*, vicinity, presence
namens, named, with the name of
nämlich, namely, of course
Narr, *m.*, fool

naß, wet, moist
Nationalökonomie, *f.*, political economy
Naturell, *n.*, nature, disposition
Nebel, *m.*, fog, mist
Nebenabteil, *n.*, next compartment
nebenbei, by the way, incidentally; close by
nebeneinander, side by side
Nebenlinie, *f.*, branch line
Nebenpforte, *f.*, side door
neckisch, teasing
Neffe, *m.*, nephew
nehmen (a, genommen), to take; Abschied —, to take leave, bid good-by; annehmen, *sep.*, to accept; to suppose; to take for granted; aufnehmen, *sep.*, to take up, take (photos); einnehmen, *sep.*, to take in, take possession of, occupy; hervornehmen, *sep.*, to take out; hinnehmen, *sep.*, to take, bear, put up with; to carry away; mitnehmen, *sep.* to take along; teilnehmen, *sep.*, to take part, participate; zusammennehmen, *sep.*, to gather together, muster up; *refl.*, to pull oneself together
neidisch, envious
neigen, to be inclined
neu, new; aufs Neue, once again
Neugeborene, *n.*, new-born baby
neugierig, curious
nicht ein Mal, not once, never
nicht einmal, not even
Nichtvorhandensein, *n.*, nonexistence
Nicken, *n.*, nod
nie, never
niederbeugen, *sep.*, to bend down
Niederlage, *f.*, defeat
Niederlassung, *f.*, lowering; establishment
Niederringung, *f.*, overpowering
niederschmettern, *sep.*, to dash to the ground, crush
niedrig, low
Niveau, *n.*, (*French*), standard, level

Nonne, *f.*, nun
Norden, *m.*, north; **nach Norden**, to the north
Not, *f.*, need, distress, trouble
Notbremse, *f.*, emergency brake, emergency cord
nötig, necessary
nötigen, to necessitate, oblige
Nötigung, *f.*, urgency; constraint
Notiz, *f.*, memorandum, notice
Notizblatt, *n.*, memorandum sheet
notwendig, necessary
nutzen, to use; ausnutzen, *sep.*, to utilize
Nutznießer, *m.*, one who derives profit from others

oben, above; at the top
ober, upper
Oberbuchhalter, *m.*, chief bookkeeper
Oberfläche, *f.*, surface
oberflächlich, superficial
obgleich, *see* obwohl
obwohl, although, in spite of the fact that
offenbar, open, obvious
offenbaren, to reveal
Öffentlichkeit, *f.*, publicity; **in die — tropfen**, to leak out
Öffnung, *f.*, opening
öfters, oftentimes
ohnedies, anyhow
ohnegleichen, unequalled
Ohnmacht, *f.*, fainting fit, swoon; impotency, weakness
ohnmächtig, faint, weak, feeble
Ohr, *n.*, ear
ohrenbetäubend, ear-splitting, deafening
ökonomisch, economic
öltriefend, dripping with oil
ölverschmiert, smeared with oil, greasy
Opfer, *n.*, sacrifice, victim
Ordensband, *n.*, ribbon of an order
Ordnung, *f.*, order; **Prozeßordnung**, rules of court
ordnungsgemäß, regular, orderly

Organ, *n*., organ
Ortschaft, *f*., place, village
ortsfremd, strange to a place

Paar, *n*., pair, couple; ein paar, a few, some
packen, to pack; to seize
Palast, *m*., palace
Panikstimmung, *f*., mood of panic
panisch, panicky
Parterrewohnung, *f*., ground-floor apartment
Paß, *m*., pass, passport
Passagier, *m*., passenger
Passant, *m*., passer-by
passen, to suit, match, fit; anpassen, *sep*., to suit, fit, make fit, adapt
passieren, to pass; to happen
peinlich, painful, tormenting
Perlenkette, *f*., string of pearls
Personenwagen, *m*., passenger car
Personenzug, *m*., passenger train
Persönlichkeit, *f*., personality, person
Pest, *f*., plague, pestilence; Familienpest, *f*., family nuisance
Pfad, *m*., path
Pfarrhaus, *n*., parsonage, rectory
pfeifen (pfiff, gepfiffen), to whistle
Pferderennen, *n*., horse races
Pfiff, *m*., whistle
Pflaster, *n*., plaster; pavement
Pflege, *f*., care
pflegen, to take care of, foster; to be accustomed to
Pflicht, *f*., duty, obligation
pflügen, to plow
Pforte, *f*., door, gate
Pförtner, *m*., doorman
pilgern, to make a pilgrimage
Platz, *m*., place, spot; am — sein, to be fitting *or* appropriate; — nehmen, to take a seat
platzen, to burst
plaudern, to chatter, chat
plötzlich, sudden

plündern, to plunder
pochen, to knock
polieren, to polish
Polster, *n*., cushion, padding
Polsterlehne, *f*., padded arm support
Portefeuille, *n*., (*French*), portfolio, wallet
prächtig, magnificent, splendid
prachtvoll, splendid, gorgeous
prägen, to coin; to stamp; aufprägen, *sep*., to imprint, impress upon
prahlen, to brag, boast
prallen, to rebound
Prämie, *f*., premium
prassen, to feast, live in luxury
Praxis, *f*., practice; clientele
präzis, precise
preisgeben (a, e), *sep*., to give, surrender, sacrifice
prickeln, to prick, itch
prinzipiell, on principle
Pritsche, *f*., plank bed
Produktionsmittel, *n*., means of production
Provinz, *f*., province; in der —, in the country
Provisionsquote, *f*., agent's share, commission
Prozeß, *m*., trial
Prozeßordnung, *f*., rules of court
prüfen, to test, inspect
prunkvoll, splendid, gorgeous
Puffer, *m*., buffer (device to keep attached railroad cars from smashing against one another)
Pufferknall, *m*., cracking noise of a buffer
Puls, *m*., pulse
pünktlich, promptly, exactly

Qual, *f*., pain, torment
Quelle, *f*., source; spring, well
quellen, to spring, gush; durchquellen, to gush through, swell through
querfeldein, across the field
Quertal, *n*., cross valley

quetschen, to squeeze; **abquetschen,** *sep.*, to squeeze off

Rabe, *m.*, raven
Rache, *f.*, revenge
rächen, to avenge
Rad, *n.*, wheel
ragen, to tower, project; **aufragen,** *sep.*, to jut, tower up; **hervorragen,** *sep.*, to project, stand out
Rahmen, *m.*, frame, casement
Rand, *m.*, edge, brim; crust
Rang, *m.*, row; rank; class
Rangierscheibe, *f.*, switching wheel
Rapport, *m.*, report, statement; relation, proportion
rasch, quick, hasty
Rasen, *m.*, turf, lawn
rasend, mad, frantic; speeding, racing
Rasenfläche, *f.*, grassy surface
rasieren, to shave; **spiegelnd rasiert,** smooth-shaven; **wohlrasiert,** clean-shaven
rassig, racy; thoroughbred; high-class, imposing
Rat, *m.*, counsel, advice; counsellor
Ratgeber, *m.*, adviser
Ratschlag, *m.*, advice
rätselhaft, puzzling, mysterious
Räuber, *m.*, robber
Raubschatz, *m.*, loot, robbed treasure
rauchen, to smoke
Rauchfladen, *m.*, smoke cloud
rauh, raw, rough, hoarse
Raum, *m.*, room, space
räumen, to clear away; **aufräumen,** *sep.*, to put in order, tidy
rauschen, to rustle, roar
rechnen, to figure, calculate, reckon
Rechnung, *f.*, calculation; bill
Recht, *n.*, right, claim; law; privilege; — **behalten (ie, a),** to prove one's point; — **geben,** to agree
recht, really, quite; **nicht —,** not quite
Rechte, *f.*, right hand

Rechtfertigung, *f.*, justification, vindication
rechtlich, just, honest, upright
Rechtsbruch, *m.*, violation of the law
Rechtsnachfolger, *m.*, heir, person assigned the legal responsibilities of a deceased party
Rechtspflege, *f.*, administration of justice, law enforcement
Rechtsprechung, *f.*, administration of a trial
Rechtsübung, *f.*, practice of law
Rechtswissenschaft, *f.*, law
Rede, *f.*, speech, oration; **davon ist gar keine —,** that is completely out of the question
Redner, *m.*, speaker, orator
Regel, *f.* rule, precept, law
regelmäßig, regular
regen, to move, stir; **anregen,** *sep.*, to stir up, stimulate
Regenschirm, *m.*, umbrella
Regierung, *f.*, government
regierungsfeindlich, hostile to the government
reglos, motionless
Regung, *f.*, motion; impulse
reiben (ie, ie), to rub; **aufreiben,** *sep.*, *refl.*, to wear oneself out
reich, rich
reichen, to reach; suffice, last
reichhaltig, abundant, plentiful
reichlich, ample, abundant
reif, ripe, mature, ready
reingekehrt, swept clean
Reise, *f.*, trip, journey; **Ausreise,** *f.*, journey abroad; **Ferienreise,** *f.*, vacation trip
Reiseanzug, *m.*, traveling clothes
Reisedecke, *f.*, travel robe
Reisegefährte, *m.*, travel companion
Reisegesellschaft, *f.*, company of travelers, travel party
Reisekissen, *n.*, travel cushion
Reisemütze, *f.*, traveling cap
Reisende, *m.*, traveling salesman
Reisetasche, *f.*, traveling bag

reißen (i, i), to tear; **eine Wunde reißen**, to inflict a wound; **durchreißen**, *sep.*, to break, rend; **losreißen**, *sep.*, to tear off
Reiz, *m.*, charm, fascination, attraction
reizen, to irritate
reizend, charming
reizvoll, charming, attractive
rennen (rannte, gerannt), to run; **umherrennen**, *sep.*, to run about
Rennpferd, *n.*, race horse
Rest, *m.*, rest, remainder
retten, to save, rescue
Rettung, *f.*, deliverance, rescue
Rettungsboot, *n.*, lifeboat
Rettungsmöglichkeit, *f.*, possibility of deliverance
richten, to judge; to arrange, direct at; **aufrichten**, *sep.*, to erect; *refl.*, to raise oneself; **einrichten**, *sep.*, to arrange, order
Richter, *m.*, judge; **Richterposten**, *m.*, judgeship
richtig, correct
Richtung, *f.*, direction; course; tendency
riechen (o, o), to smell
riegeln, to bolt, bar; **einriegeln**, *sep.*, to bolt in
rieseln, to purl, drizzle
Riesenvogel, *m.*, giant bird
riesig, gigantic, immense
ringen (a, u), to struggle, grapple; **— um**, to contend
Rippenstoß, *m.*, poke in the ribs
Rittergutsbesitzer, *m.*, lord of the manor
Rock, *m.*, skirt; coat
Rockkragen, *m.*, coat collar
roden, to root out, clear away
Rohr, *n.*, tube, pipe, cane
Rotkrautkopf, *m.*, head of red cabbage
routiniert, experienced
rücken, to move, push along; **vorbeirücken**, *sep.*, to move by
Rücken, *m.*, back; ridge
Rückenwirbel, *m.*, dorsal vertebra

rückfällig, relapsing, backsliding; overdue
rückhaltlos, unreserved, frank
Rückkehr, *f.*, return
Rückkunft, *f.*, return
Rücksicht, *f.*, respect, regard, consideration
Rückstand, *m.*, arrears, outstanding debt; remainder
Rückstoß, *m.*, recoil, repulsion, backward push
Rücksturz, *m.*, backward plunge
Rücktritt, *m.*, resignation
Rückwand, *f.*, back wall
rückwärtig, behind the lines; rearwards
Rückweg, *m.*, return, way back
Ruder, *n.*, oar; rudder
Ruf, *m.*, call; fame, reputation
rufen (ie, u), to call, cry
ruhen, to rest
Ruheort, *m.*, resting place
rühren, to move, touch, effect; **anrühren**, *sep.*, to touch
ruinös, ruinous, fatal
runden, to make round; **abrunden**, *sep.*, to round off
rundlich, roundish, paunchy
rutschen, to glide, slide

Saal, *m.*, hall; **Wartesaal**, *m.*, waiting room
Sache, *f.*, thing, matter; **seiner —**, of his part in the matter; **die — führen**, to plead the case *or* cause
sachlich, objective, factual, matter-of-fact
saftschwarz, luxuriously black
Sägewerk, *n.*, sawmill
Sägmaschine, *f.*, sawing machine
sammeln, to gather, collect
Sammlung, *f.*, collection
Samstag, *m.*, Saturday
Samt, *m.*, velvet
sämtlich, all, complete, entire, as a whole
Sanitätsmannschaft, *f.*, detail of medical-corps troops *or* personnel

Satz, *m.,* sentence; leap, bound
sauber, clean, neat
säuberlich, clean, neat
saufen (soff, gesoffen), to drink heavily
saugen, to suck
Säulenvorbau, *m.,* columned front part of a building
sausen, to whistle; to rush; **hereinsausen,** *sep.,* to rush in, whiz in; **hineinsausen,** *sep.,* to rush in; **wegsausen,** *sep.,* to whiz away
schäbig, shabby; mean, stingy
schade, es ist, it is a pity
Schädel, *m.,* skull
Schädeldecke, *f.,* top of the skull
Schaden, *m.,* damage, harm
schädigen, to damage, injure
schaffen (schuf, geschaffen), to create, produce; **wegschaffen,** *sep.,* to clear away, carry away
Schaffner, *m.,* conductor
Schale, *f.,* shell, peel; bowl
Schande, *f.,* shame
Schar, *f.,* troop, herd, flock
schauen, to gaze, look; **ausschauen,** *sep.,* to look out; **zuschauen,** *sep.,* to watch
schaukeln, to rock, pitch
Schauplatz, *m.,* theater, scene
Schauspiel, *n.,* play, drama
Schauspieler, *m.,* actor
Scheidung, *f.,* divorce, separation
Schein, *m.,* shine, light; appearance; bank note, bill
scheinen (ie, ie), to seem, appear; to shine
Scheitel, *m.,* crown of the head
Schemel, *m.,* footstool
Schemen, *m.,* shadow, phantom
schenken, to give, bestow
Scherbe, *f.,* fragment, debris
scherzen, to jest, joke
scherzhaft, joking
schicklich, proper, decent
Schicksal, *n.,* destiny, fate
schieben (o, o), to shove, push, slide; **— auf,** (*acc.*), to attribute to; **aufschieben,** *sep.,* to shove *or* push open; to postpone, delay; **entgegenschieben,** *sep.,* to push in the face of; **verschieben,** to remove, shift; to procrastinate
schief, slanting; wrong; jutting out
schiefkrachen, *sep.,* to crash crosswise
Schiene, *f.,* rail
Schienenschlag, *m.,* impact of a car on a track
Schienenstrang, *m.,* track
Schienenverbindung, *f.,* connection with the rails
schießen (o, o), to shoot, burst forth; **hineinschießen,** *sep.,* to burst forth into
Schießscheibe, *f.,* target
Schießscheibenausstellung, *f.,* exhibition of shooting at targets
Schiffer, *m.,* skipper
Schiffsjunge, *m.,* cabin boy
Schiffskabine, *f.,* cabin on a ship
schildern, to paint; to depict, describe
Schilderung, *f.,* description, story
Schildpatt, *n.,* tortoise shell
schimmern, to gleam
schimpfen, to scold, use abusive language
Schirm, *m.,* umbrella, shelter; **Lampenschirm,** *m.,* lamp shade
Schirmmütze, *f.,* cap with a peak
Schlachtfeld, *n.,* battle field
Schlaf, *m.,* sleep
Schläfe, *f.,* temple
schläfern, to feel sleepy (*used impersonally*); **einschläfen,** *sep.,* to lull to sleep
Schlag, *m.,* stroke, blow; kind, sort; **Keulenschlag,** *m.,* blow from a club; **Trommelschlag,** *m.,* drumbeat
schlagen (u, a), to strike, beat; **ins Gesicht —,** to hit in the face; to offend, run counter to; **abschlagen,** *sep.,* to strike off; to decline; **aufschlagen,** *sep.,* to strike open; to set; to increase; **durchschlagen,** to beat through;

to pierce; **einschlagen**, *sep.*, to break in; to strike; **umschlagen**, *sep.*, to change, turn; **zurückschlagen**, *sep.*, to strike back, repel; **zuschlagen**, *sep.*, to slam
Schläger, *m.*, beater; racket
Schlange, *f.*, snake
Schlangensammlung, *f.*, collection of snakes
schlank, slim, slender
schlau, sly, cunning
schlecht, bad; **ihm war —,** he didn't feel well
schleichen (i, i), to sneak; **heranschleichen**, *sep.*, to sneak up to; **hinausschleichen**, *sep.*, to sneak out
schleudern, to sling, throw; **aus der Bahn geschleudert**, left out in the cold; **hin- und herschleudern**, *sep.*, to toss back and forth; **herumschleudern**, *sep.*, to throw about
schließen (o, o), to close, lock; to contract; *refl.*, to close; to knit (wound); **anschließen**, *sep.*, *refl.*, to join, follow; **ausschließen**, *sep.*, to lock out, exclude; **einschließen**, *sep.*, to lock in; to enclose; **umschließen**, to surround, enclose
schließlich, final; (*adv.*), finally, at last
schlimm, bad, evil, ill
Schlingel, *m.*, clown, rascal
Schlucht, *f.*, ravine
Schluck, *m.*, sip, draught
Schlummer, *m.*, slumber; **aus dem — fahren** (fuhr, gefahren), to snap out of one's slumber
schmal, narrow
schmeichlerisch, flattering
Schmerz, *m.*, pain, sorrow
schmerzdurchtobt, ravaged by pain
schmerzlich, painful, sad
Schmiede, *f.*, forge
schmieden, to forge; **anschmieden**, *sep.*, to forge onto, fetter

Schmiegsamkeit, *f.*, flexibility, pliancy
schmißdurchzogen, badly scarred
Schmuckkoffer, *m.*, jewel box *or* case
Schmuckstück, *n.*, piece of jewelry
Schmutzflut, *f.*, deluge of filth
schmutzig, dirty, filthy
Schnabel, *m.*, beak
schnarchen, to snore
schneebedeckt, snow-covered
Schneegipfel, *m.*, snowy peak
schneiden (schnitt, geschnitten), to cut; **abschneiden**, *sep.*, to cut off; to do; **er schnitt elend ab**, he did miserably
schnellen, to jerk, spring, dart; **empor und herum —,** to dart up and around
Schnellzug, *m.*, express train
Schnur, *f.*, cord, string
Schnurrbart, *m.*, mustache
Schonung, *f.*, consideration, regard
Schoß, *m.*, sprout; lap; womb
schottisch, Scottish
schräg, slanting, diagonal
Schrank, *m.*, cupboard, closet
Schranke, *f.*, barrier, gate; bar
Schreck, *m.*, fear, fright; **vor —,** from fear
schrecklich, fearful, frightful
Schrei, *m.*, scream, cry
schreiben (ie, ie), to write; **aufschreiben**, *sep.*, to write down; **unterschreiben**, *sep.*, to write under; *insep.*, to sign; **vorschreiben**, *sep.*, to order, direct
Schreiber, *m.*, clerk, secretary
Schreibtisch, *m.*, writing table
schreien (ie, ie), to cry, scream
Schreikrampf, *m.*, crying fit
schreiten (schritt, geschritten), to step, stride; **abschreiten**, *sep.*, to pace off, pass along; **vorschreiten**, *sep.*, to step forward
Schrift, *f.*, writing, literary work
schriftlich, written, in writing
Schriftsteller, *m.*, writer, author
Schritt, *m.*, step

schroff, rough, blunt, harsh
Schuld, *f.*, debt; guilt; **er ist —,** it is his fault
Schuldentilgung, *f.*, repayment of debts
schuldig, indebted; guilty
Schulter, *f.*, shoulder
Schulterblatt, *n.*, shoulder blade
Schultergelenk, *n.*, shoulder joint
Schuppen, *m.*, shed
Schurke, *m.*, scoundrel
Schurz, *m.*, apron
Schuß, *m.*, shot
schützen, to protect, save
Schutzvorrichtung, *f.*, safety device
schwach, weak
schwächen, to weaken
schwanger, pregnant
Schwangerschaft, *f.*, pregnancy
schwankend, tottering, uncertain, unsteady
schwären, to fester
Schwärmer, *m.*, dreamer
schweben, to hover, hang
Schweif, *m.*, tail
schweifen, to roam about, ramble; **abschweifen,** *sep.*, to digress, deviate
schweigen (ie, ie), to be silent
Schweinerei, *f.*, filthiness, obscenity
schweinsledern, pigskin
Schweiß, *m.*, sweat, perspiration; **schweißglühend,** dripping with perspiration
Schwelle, *f.*, threshold
schwellen (o, o), to swell
schwerlich, hardly, scarcely
Schwert, *n.*, sword
Schwiegersohn, *m.*, son-in-law
Schwiegertochter, *f.*, daughter-in-law
Schwiegervater, *m.*, father-in-law
schwierig, difficult
schwindeln, to swindle; to be giddy; **ihm schwindelt der Kopf,** his head is swimming
schwinden (a, u), to dwindle, disappear; **hinschwinden,** *sep.*, to vanish
schwingen (a, u), to swing; to resound
schwitzen, to sweat
See, *m.*, lake
Seele, *f.*, soul, mind
Seelenhirt, *m.*, spiritual shepherd, pastor
segeln, to sail
sehen (a, e), to see; **ansehen,** *sep.*, to look at, consider; **aussehen,** *sep.*, to appear, seem; **dreinsehen,** *sep.*, to appear; to look down upon; **hineinsehen,** *sep.*, to look within *or* into; **hinaussehen,** *sep.*, to look out; **umsehen,** *sep.*, *refl.*, to look around; **zusehen,** *sep.*, to look at, watch
sehnen, *refl.*, to long, yearn; **— nach,** to long for
sehnig, sinewy, muscular
Sehnsucht, *f.*, longing, yearning
Seide, *f.*, silk
Seidentapete, *f.*, silk tapestry
sein (war, gewesen), to be; **um —,** to have passed, come to a close; **sich** (*dat.*) **es wohl — lassen,** to enjoy oneself
Sein, *n.*, existence, life
Seitental, *n.*, tributary valley
seither, since that time, since then
Sekretärsdienst, *m.*, secretarial duties
sekündlich, by the second
selber, myself, himself, themselves, yourself
selbst, self; even
selbständig, independent
Selbstschutz, *m.*, self-protection
selbstverständlich, self-evident
Selbstverteidigung, *f.*, self-defense
Seligkeit, *f.*, happiness, bliss
selten, rare, unusual
seltsam, strange, unusual
Semmel, *f.*, roll (bread)
Sendung, *f.*, mission
senken, to sink

senkrecht, perpendicular, vertical
Senkung, *f.*, sinking, lowering, dip
Sensationsprozeß, *m.*, sensational case
Sense, *f.*, scythe
sequestrieren, to confiscate
Serpentinweg, *m.*, winding road
Sessel, *m.*, seat, armchair
setzen, to set, place; *with* an, (*acc.*), to set to, apply to, put in; **einsetzen**, *sep.*, to set in; to begin; **entgegensetzen**, *sep.*, to oppose, be contrary to; **herabsetzen**, *sep.*, to lower, reduce; **vorsetzen**, *sep.*, *refl.*, (*dat.*), to intend, resolve
sicher, sure, undoubted; safe
Sicherheit, *f.*, safety, certainty, security; **in — bringen**, to secure, assure
sicherlich, surely, undoubtedly
Sicherung, *f.*, protection; fuse; safety catch
sichtbar, visible
sieden, to seethe, boil, simmer
Sieg, *m.*, victory; **siegreich**, victorious
signalisieren, to signal, announce by signal
sinken (a, u), to sink, decline; **bei sinkender Nacht**, at nightfall
Sinn, *m.*, sense, mind, opinion, meaning; **einem in den — kommen**, to enter one's mind, think of
sinnend, pensive, meditating
sinnleer, meaningless
sinnlos, senseless
skeletthaft, emaciated, skeleton-like, bony
sofort, at once, directly
sogar, even
sogenannt, so-called
sogleich, immediately, at once
Sold, *m.*, pay
Soldat, *m.*, soldier
Söldner, *m.*, mercenary
solid, solid, respectable
sonderbar, strange, odd

Sonnenbad, *n.*, sun bath
sonst, otherwise, besides, moreover
Sorge, *f.*, care, trouble, concern; **— tragen** (u, a), to take pains
sorgfältig, *see* **sorgsam**
sorgsam, careful, anxious, painstaking
Souverän, *m.*, sovereign
sowieso, anyhow, in any case, already
spannen, to span; to strain, stretch; **einspannen**, *sep.*, to stretch in a frame *or* yoke
spärlich, meager
sparsam, economical, thrifty; scant, slight
spät, late
spazieren, to walk, promenade
Spaziergänger, *m.*, stroller, walker
Spazierstock, *m.*, walking stick
Specht, *m.*, woodpecker
Speichelfaden, *m.*, thread of saliva
Speise, *f.*, food, diet
Speiseraum, *m.*, dining room
Speisewagen, *m.*, dining car
Sperling, *m.*, sparrow
Spiegel, *m.*, mirror; **spiegelnd rasiert**, smooth-shaven
Spiel, *n.*, play, game; gambling; **auf dem — stehen** (stand, gestanden), to be at stake; **im — sein** (war, gewesen), to be involved, play a part
Spielerei, *f.*, play, jesting; knick-knacks
spielerisch, playful; perfunctory
Spielregel, *f.*, rule of a game
Spieluhr, *f.*, chiming clock, cuckoo clock
Spielzeug, *n.*, plaything, toy
Spielzeugschachtel, *f.*, box for toys
spießgesellenhaft, roguishly
Spitzel, *m.*, plain-clothes man, informer, police spy
spitzzulaufend, coming to a point
Sporn, *m.*, spur
Sportel, *f.*, fee
sprechen (a, o), to speak; **aus-**

sprechen, *sep.*, to pronounce, utter

springen (a, u), to leap, jump; **herausspringen,** *sep.*, to leap out; **hinausspringen,** *sep.*, to jump out; **hochspringen,** *sep.*, to jump high

Spruch, *m.*, saying; sentence, verdict

Sprung, *m.*, leap; crack, split

sprungbereit, ready to jump

sprunghaft, by leaps and bounds

spucken, to spit

spülen, to wash against, lap

Spur, *f.*, trace, mark

spürbar, perceptible

spüren, to scent; perceive, feel

Staatsanwalt, *m.*, district attorney

Staatsform, *f.*, type of government

Staatsmann, *m.*, statesman

Staatsrat, *m.*, counsellor of state

Staatsvertrag, *m.*, state treaty

Stab, *m.*, staff; stick

Stabsarzt, *m.*, medical officer

Stadium, *n.*, stadium; state

Stahlhelm, *m.*, steel helmet

Stall, *m.*, stable; **stallwärts,** in the direction of the stable

Stamm, *m.*, stem, tree trunk; race

stammeln, to stammer, stutter

stammen(aus), to spring from, stem from

Stammholz, *n.*, wood of a tree trunk

Stand, *m.*, station, class, rank

Standbild, *n.*, statue

Stange, *f.*, pole

starr, stiff, motionless

Starre, *f.*, rigidity, stiffness

starren, to stare, look fixedly at; to stiffen; **hineinstarren,** *sep.*, to stare into; **nachstarren,** *sep.*, to stare after

Starrsinn, *m.*, obstinacy

statt, (*gen.*), instead of

Stätte, *f.*, place

Staub, *m.*, dust

staubig, dusty, powdery

Staubteilchen, *n.*, particle of dust

staunen, to be astonished

stecken, to stick; to put, place; *with* **hinter,** (*acc.*), to lie hidden; to be involved

stehen (stand, gestanden), to stand; **auf dem Spiel —,** to be at stake; **ausstehen,** *sep.*, to endure, bear; **bevorstehen,** *sep.*, to be at hand, be imminent; **vorstehen,** *sep.*, to stand before, precede; to jut out; to preside

Stehlampe, *f.*, floor lamp

steif, stiff, formal

Steig, *m.*, path; **Bahnsteig,** *m.*, railroad-station platform

steigen (ie, ie), to ascend, climb, rise; **ansteigen,** *sep.*, to ascend; **aufsteigen,** *sep.*, to rise upward, climb up; **aussteigen,** *sep.*, to get out, leave; **einsteigen,** *sep.*, to get into, enter; **emporsteigen,** *sep.*, to rise, ascend; **hinabsteigen,** *sep.*, to descend; **hinaufsteigen,** *sep.*, to ascend, mount; **hineinsteigen,** *sep.*, to climb in, enter; **umsteigen,** *sep.*, to transfer, change (trains)

steigern, to increase, heighten, intensify

steil, steep

steilabfallend, steeply sloping

Steinhöhle, *f.*, stone cave

Stelle, *f.*, place; stand, position, authority; **zur Stelle,** on the spot, present; **auf der Stelle,** on the spot, immediately

stellen, to put, place; **sich —,** to pretend, fake; **aufstellen,** *sep.*, to set up, draw up; **herstellen,** *sep.*, to set up, establish; to produce; to restore to health; **umstellen,** *sep.*, to place differently, reverse

stellenweise, here and there, occasionally

Stellung, *f.*, position, posture; line; **Ehrenstellung,** *f.*, dignity, position of honor; **Menschenstel-**

lung, *f.*, human posture *or* position

Stellungsgesuch, *n.*, application for a job

stellungslos, unemployed

stemmen, to support; to lift; hochstemmen, *sep.*, to lift high

Stenogrammblock, *m.*, shorthand pad

Stenotypistin, *f.*, stenographer

sterben, to die

stetig, continual, constant, steady

stets, continually, always

Stiefel, *m.*, boot

Stil, *m.*, style

Stilgefühl, *n.*, feeling for style

Stille, *f.*, stillness, silence; **in der Stille,** quietly

Stimme, *f.*, voice

Stimmung, *f.*, mood

Stirn, *f.*, forehead

Stirnader, *f.*, veins in the forehead

Stirnfenster, *n.*, front window

Stirnwand, f., façade, front wall

Stock, *m.*, stick; story, floor

stocken, to stop, cease, relent

Stockwerk, *n.*, story, floor

stöhnen, to groan

Stolz, *m.*, pride

stoßen (ie, o), to push, thrust, strike; **zu Boden —,** to knock down; **— auf,** (*acc.*), to come upon; **abstoßen,** *sep.*, to thrust off, repulse; **anstoßen,** *sep.*, to drink to one's health; **ausstoßen,** *sep.*, to thrust out; to expel; to utter; **hervorstoßen,** *sep.*, to thrust out; to exclaim; **vorstoßen,** *sep.*, to push forward, project; **zusammenstoßen,** *sep.*, to collide; to meet, encounter

strafen, to punish

Sträfling, *m.*, convict

Strafmaß, *n.*, amount of punishment

Strafrecht, *n.*, penal law

Strafvollzug, *m.*, infliction of punishment

Strafvollzugswesen, *n.*, system of carrying out infliction of punishment

Strahl, *m.*, ray, beam, flash; jet

stramm, robust, vigorous

Strang, *m.*, rope, cord, bond; **Schienenstrang,** *m.*, track

Straßenzug, *m.*, row of streets

Strauch, *m.*, shrub, brush

streben, to strive; **zustreben,** *sep.*, endeavor to reach

Strecke, *f.*, stretch, section; railroad line

strecken, to stretch, extend; **entgegenstrecken,** *sep.*, to stretch out towards, offer; **hereinstrecken,** *sep.*, to stretch in; **herausstrecken,** *sep.*, to reach out, extend

Streif, *m.*, stripe, streak, mark

streiken, to strike

streng, severe, rigorous, strict

streuen, to scatter, strew; **hinstreuen,** *sep.*, to strew out, scatter about

Strichregen, *m.*, local rain

Strohhutgruß, *m.*, straw-hat greeting, formal salutation

stromweise, in torrents

Stück, *n.*, piece; bit

Stufe, *f.*, step, stair

Stummel, *m.*, stump, end

Sturmbock, *m.*, battering ram

Sturz, *m.*, fall, plunge; **Todessturz,** *m.*, plunge to death

stürzen, to fall, tumble, plunge; to be ruined; **einstürzen,** *sep.*, to fall in, collapse; **herabstürzen,** *sep.*, to plunge downward; **übereinanderstürzen,** *sep.*, to fall all over each other; **voranstürzen,** *sep.*, to tumble onwards

stützen, to prop, lean, support

Suche, *f.*, search; **sich auf die — machen,** to begin the quest

suchen, to look for; **absuchen,** *sep.*, to search through

süd, south

sühnen, to expiate, atone for

Summe, *f.,* sum; **Leihsumme,** *f.,* amount loaned
summen, to hum
Sünder, *m.,* sinner
sündhaft, sinful
supponieren, to suppose, assume
Syndikus, *m.,* syndic, trustee, corporation lawyer

Tabakspfeife, *f.,* (smoking) pipe
Tablett, *n.,* small tray
tadellos, faultless, blameless
tagelang, for days
Tageskampf, *m.,* daily struggle
Tagung, *f.,* meeting, conference
Takt, *m.,* time, rhythm
Tal, *n.,* valley
Talar, *m.,* robe
Talauslauf, *m.,* valley opening *or* ending
Taler, *m.,* old German coin no longer minted. It was worth 3 marks.
Talfahrt, *f.,* descent
Talisman, *m.,* talisman, something producing an extraordinary effect
Talsohle, *f.,* bottom of a valley
talwärts, toward the valley
tannen, fir
Tapete, *f.,* wallpaper, tapestry; **Seidentapete,** *f.,* silk tapestry
Taschendieb, *m.,* pickpocket
Taschentuch, *n.,* handkerchief
Tasse, *f.,* cup
tasten, to feel, grope
Tat, *f.,* act, deed; **in der —,** in reality, indeed
tätig, active, energetic; **— sein,** to be employed
Tätigkeit, *f.,* activity, profession
Tatsache, *f.,* fact
tätscheln, to pet
taub, deaf; **— stellen,** *refl.,* to turn a deaf ear
tauchen, to dive, submerge; **auftauchen,** *sep.,* to emerge, appear suddenly
taumelig, giddy

taumeln, to reel, stagger; **umhertaumeln,** *sep.,* to stagger about; **übereinandertaumeln,** *sep.,* to stagger over one another
täuschen, to deceive, cheat
Tausendfrancschein, *m.,* thousand-franc note
tausendstimmig, thousand-voiced
Taxistand, *m.,* hackstand, taxi stand
Teil, *m.,* portion, part
teilen, to divide, share in
teilnahmsvoll, sympathetic, interested
teilnehmen (a, genommen), *sep.,* to take part
Teint, *m.,* (*French*), complexion
Telegraphendraht, *m.,* telegraph wire
Telegraphenstange, *f.,* telephone pole
telegraphisch, by telegraph, by wire
Tempo, *n.,* tempo, pace, rate
Tendenz, *f.,* tendency
Tender, *m.,* tender of locomotive
Teufel, *m.,* devil
tiefdämmerig, very dusky
Tiefe, *f.,* depth, abyss, gorge
Tier, *n.,* animal
Tiergarten, *m.,* zoo
tierhaft, animal-like, brutish
tilgen, to extinguish, cancel, wipe out; to redeem
Titel, *m.,* title
Todesangst, *f.,* dread of death
Todesfurcht, *f.,* fear of death
Todesnot, *f.,* deathly peril
Todesstrafe, *f.,* death penalty
Todessturz, *m.,* plunge to death
Todesurteil, *n.,* death sentence
tödlich, fatal, deadly
Toilettentisch, *m.,* dressing table
toll, mad, wild, senseless
tönen, to sound, resound
Tonfall, *m.,* intonation
tonlos, soundless, voiceless
Tor, *n.,* gate

torkeln, to reel, stagger; **zutorkeln,** *sep.*, to stagger over
Totenstille, *f.*, deathlike silence
Totschlag, *m.*, homicide, manslaughter
traben, to trot, jog; **herabtraben,** *sep.*, to jog downward
Tracht, *f.*, dress, costume; **Zuchthaustracht,** *f.*, prison garb
träge, lazy, dull
tragen (u, a), to carry, bear; **beitragen,** *sep.*, to contribute
Träger, carrier, bearer
transportfähig, transportable
trauen, to trust, (*dat.*); *refl.*, to marry; to have courage
Traum, *m.*, dream
Trauung, *f.*, wedding
treffen (traf, getroffen), to meet; to hit; to befall; to effect; — **auf,** (*acc.*), to come upon, encounter
treiben (ie, ie), to drive; **Geschäfte treiben,** to conduct business affairs; **antreiben,** *sep.*, to drive on, urge on; **emportreiben,** *sep.*, to drift upward; **zutreiben,** *sep.*, to drive toward
Treibriemen, *m.*, driving belt
trennen, to separate, divide, sever
treppauf treppab, upstairs and downstairs
treten (a, e), to step, walk, tread; **eintreten,** *sep.*, to enter; **hervortreten,** *sep.*, to step forward, come forward, come forth; **hineintreten,** *sep.*, to step into; **vortreten,** *sep.*, to step forward, advance
Treue, *f.*, faithfulness, sincerity; **auf Treu und Glauben,** in good faith
Trieb, *m.*, (moving) force, instinct, inclination
trist, deplorable, wretched, pitiful, sad
Trittbrett, *n.*, footboard
trocken, dry
Trommelschlag, *m.*, drumbeat

tropfen, to drip; **in die Öffentlichkeit —,** to leak out
tropfnaß, dripping wet, sopping
trösten, to comfort, console
trotzig, defiant; obstinate
trüb, muddy, turbid, dim, gloomy
trügen (o, o), to deceive, fool
Truppen, *pl.*, troops
Truppenteil, *m.*, body of troops, unit
Tuch, *n.*, cloth, fabric
tüchtig, able, fit; excellent
Tugendpanzer, *m.*, virtue's armor
tun (tat, getan), to do; **auftun,** *sep.*, to open; **wohl daran —,** to do well by it; **es tut mir leid,** I am sorry
Türausschnitt, *m.*, door opening (piece cut out of a door)
Türgriff, *m.*, door knob
Turm, *m.*, tower
Türrahmen *m.*, door frame
Typus, *m.*, type

Übeltäter, *m.*, evil-doer
üben, to exercise, practice; **ausüben,** *sep.*, to exercise
überall, everywhere
überaus, extremely, exceedingly
überbringen (überbrachte, überbracht), to bring over, deliver
überdrüssig, disgusted with, weary
übereinander, over one another
übereinanderstürzen, *sep.*, to fall all over each other
übereinandertaumeln, *sep.*, to stagger over one another
übererregt, overly excited
überfliegen (o, o), *sep.*, to fly over; *insep.*, to glance quickly over
überflüssig, superfluous
überführen, to convey; convince; convict
Überführung, *f.*, transfer
Übergang, *m.*, crossing, transition
überglänzen, to throw a brilliant light on; **der Überglänzte,** [*here*], the district attorney, whose

face shines (with the memories of his past)
Übergriff, *m.,* encroachment
überhaupt, generally, on the whole, at all, really
überlassen (ie, a), to give up, relinquish
überlaut, too loud, noisy
überleben, to outlive, survive
überlegen, to weigh, consider, reflect upon
überliefern, to deliver, hand over, hand down
überliefert, traditional, handed down through generations
Übermaß, *n.,* excess
überqueren, to cross, traverse
überraschen, to surprise, startle
Überraschung, *f.,* surprise
übersäen, to sow over; to dot *or* strew with
überschreien (ie, ie), to yell louder than, drown out
übersehen (a, e), to overlook, survey; *sep.,* to look over
übersetzen, to translate
überspannen, to overstrain, overexert
Überspitzel, *m.,* super-spy, superinformer
überstehen (überstand, überstanden), to endure, stand, overcome; to survive
übersteigen (ie, ie), to surmount; to surpass
übertönen, to drown out
übertragen (u, a), to transfer, assign; to carry over
überwachen, to watch over, supervise
überzeugen, to convince
Überzeugungskunst, *f.,* power of persuasion; ability to be convincing
üblich, usual, customary
übrig, left, remaining
übrigens, moreover, by the way
Übung, *f.,* practice, use; **Rechtsübung,** *f.,* practice of law

Ufer, *n.,* bank, shore
Uhr, *f.,* watch, clock
um, about, around, for; past, over; — **sein (war, gewesen),** to have passed, come to a close
Umarmung, *f.,* embrace
umfassen, to enclose, include, span
Umgang, *m.,* procession; rotation; relations, connection
umgeben (a, e), to surround
Umgebung, *f.,* environment
Umgestaltung, *f.,* transformation, reorganization
umherbewegen, *sep.,* to move around, get around
umherliegend, lying about
umherrennen (rannte umher, umhergerannt), *sep.,* to run about
umhertaumeln, *sep.,* to stagger about
umkehren, *sep.,* to turn back, return
umkommen (kam, gekommen), *sep.,* to perish, die
umschauen, *sep.,* to look around
Umschlag, *m.,* envelope, cover, wrapper
umschlagen (u, a), *sep.,* to change, turn
umschließen, to surround, enclose
umsehen (a, e), *sep., refl.* to look around
Umstand, *m.,* circumstance, condition, situation; *pl.,* particulars, formalities
umsteigen (ie, ie), *sep.,* to transfer, change (trains)
umstellen, *sep.,* to place differently, reverse
Umweg, *m.,* roundabout way; detour
Umwelt, *f.,* environment
umwenden (wandte um, umgewandt), *sep.,* to turn, turn around
unablenkbar, not to be diverted *or* turned aside
unabwendbar, inevitable
Unabwendbarkeit, *f.,* inevitability

unangefochten, undisputed, unmolested
Unbändigkeit, *f.*, unruliness
Unbedingtheit, *f.*, unconditional state, unqualifiedness
unbefleckt, unsullied, unspotted
Unbegreifen, *n.*, lack of comprehension
unbegreiflich, inconceivable, inexplicable
unbenutzt, unused
unbestimmt, uncertain, vague, indefinite
undurchführbar, unfeasible
unentwickelt, undeveloped
unerfahren, inexperienced
unerforschlich, inscrutable
unergründlich, unfathomable, impenetrable
unermeßlich, immense, immeasurable
unerschöpflich, inexhaustible
unfähig, incapable
unfehlbar, infallible
ungeduldig, impatient
ungefähr, approximate, nearly
ungehalten, unfulfilled, unkept; indignant, angry
ungeheuer, enormous, immense
ungeheuerlich, monstrous
Ungeheuerlichkeit, *f.*, monstrous deed, atrocity
ungemahnt, unreminded
Ungerechtigkeit, *f.*, injustice
ungestört, undisturbed
ungläubig, unbelieving, skeptical
Unglück, *n.*, misfortune
Unglücksfall, *m.*, accident
unheimlich, gloomy; uncanny, frightening
Uniformständer, *m.*, uniform rack
unmerkbar, unnoticeable
unmittelbar, immediate, direct
unmotiviert, unfounded
unmündig, under age, minor, young
unnötig, needless, unnecessary
Unrecht, *n.*, injustice
unregelmäßig, irregular

unruhvoll, restless
Unschuld, *f.*, innocence
unschuldig, innocent
unsereiner, one of us, people like us
unsicher, uncertain
unsichtbar, invisible
unsympathisch, unpleasant; **ich bin ihm —,** he does not like me
untadelig, blameless
untauglich, unfit, unsuitable, bad
unten, below
Unterarm, *m.*, forearm
unterbringen (brachte unter, untergebracht), *sep.*, to shelter, accommodate; to put away
unterbrochen, interrupted; **ununterbrochen,** uninterrupted
unterdessen, in the meantime
Untergesicht, *n.*, lower part of the face
unterhalb, below
unterhalten (ie, a), to support, sustain; *refl.*, to enjoy oneself, have a good time; to converse; **angeregt —,** *refl.*, to converse animatedly
Unterlage, *f.*, base, foundation; proof
unterliegen (a, e), to be defeated; *sep.*, to lie under
Unterlippe, *f.*, lower lip
Unternehmen, *n.*, enterprise
Unteroffizier, *m.*, noncommissioned officer
unterrichten, to instruct; inform of
unterschätzen, to underrate, underestimate
unterscheiden (ie, ie), to differentiate, distinguish
Unterschied, *m.*, difference
Unterschlagung, *f.*, embezzlement
unterschreiben (ie, ie), *sep.*, to write under; *insep.*, to sign
Unterschrift, *f.*, signature
unterstehen (unterstand, unterstanden), to be under (in rank)
unterstützen, to support, aid
untersuchen, to examine

Untersuchung, *f.*, examination, inspection, investigation
unterwegs, on the way
Unterzeichner, *m.*, signer
unverfänglich, natural, simple; harmless
unvermittelt, sudden, abrupt
unvermutet, unexpected
unversehrt, uninjured, intact
unverständlich, unintelligible
unverzüglich, immediate, prompt
Unwert, *m.*, worthlessness
unwiderruflich, irrevocable, not retractable
unwiderstehlich, irresistible
unwillkürlich, involuntary
unwirtlich, inhospitable; barren, dreary
unwissend, ignorant
Unzahl, *f.*, endless number
unzeitgemäß, old-fashioned
unzulänglich, insufficient, inadequate
üppig, luxuriant, exuberant, voluptuous
uralt, ancient
Urgesicht, *n.*, original *or* primitive face
urplötzlich, all of a sudden
Ursache, *f.*, cause, reason
Ursprung, *m.*, source, origin
Urteil, *n.*, opinion, judgment, sentence
urteilen, to judge; **aburteilen,** *sep.*, to pass judgment

vaterländisch, patriotic
Vehemenz, *f.*, vehemence, impetuosity
verabreden, to agree upon
verächtlich, contemptuous
verändert, changed
Veränderung, *f.*, change
veranlassen, to cause, bring about, call forth
verbannen, to exile, banish
verbessern, to improve
verbergen (a, o), to hide, conceal
verbeugen, to bow

verbieten (o, o), to prohibit, forbid
Verbindung, *f.*, union, alliance, connection, marriage
verbissen, suppressed, morose; stubborn
verblenden, to blind, dazzle, delude
Verbrechen, *n.*, crime
Verbrecher, *m.*, criminal, wrongdoer
verbringen (verbrachte, verbracht), to spend, pass
verbummeln, to waste money, idle away time
verbüßen, to serve time in prison
Verdacht, *m.*, suspicion
verdächtig, suspicious
Verdächtigung, *f.*, insinuation
verdämmert, dusky; past, long ago
Verdeck, *n.*, ship deck
verdecken, to cover up, conceal
Verdienst, *m.*, earnings
verebben, to ebb away, decline
Verehrung, *f.*, respect, reverence
Verein, *m.*, union, society, club
Vereinigung, *f.*, union, incorporation, fusion
vereinzelt, isolated, detached
verfangen (i, a), *refl.*, to be caught; to become entangled
verfänglich, insidious, risky
Verfassung, *f.*, composition; condition; constitution
Verfassungsurkunde, *f.*, constitutional charter *or* document
verfielfacht, multiplied
verfliegen (o, o), to fly away, vanish
verfluchen, to curse
Verfügung, *f.*, disposal, order, decree; **zur — haben,** to have at one's disposal
Vergangenheit, *f.*, past, time gone by
vergehen (verging, vergangen), to pass, elapse; to vanish; to be at fault
Vergehen, *n.*, crime, offense, transgression

vergelten (a, o), to repay
vergewissern, to assure, confirm
verglast, glazed
vergleichen (i, i), to compare
vergleichsweise, comparatively
Vergnügen, *n.*, enjoyment, satisfaction, pleasure
vergoldet, gilt
vergönnen, (*with dat.*), to permit, allow
vergrößern, to increase, enlarge
verhaften, to arrest
verhalten (ie, a), to keep back, restrain
Verhältnis, *n.*, relation; proportion; circumstance; condition
verhältnismäßig, proportionate
Verhandlung, *f.*, negotiation, proceeding, pleading
verhängen, to veil; to decree, inflict
verharren, to remain; to persevere
verhehlen, to hide, conceal
verhetzen, to stir up, goad
verhindern, to hinder, prevent
verhöhnen, to ridicule, mock
Verhör, *n.*, questioning, inquiry
verhören, to hear, try; to question
Verhütung, *f.*, prevention
verirren, to lose one's way, go astray
Verkauf, *m.*, sale; **zum — ausschreiben**, to offer for sale
Verkehr, *m.*, traffic, intercourse, connection
verkennen (**verkannte, verkannt**), to mistake, misunderstand
verklärten Gesichtes, with a radiant face
Verklärung, *f.*, transfiguration, ecstasy
verklingen (a, u), to die out, fade away
verkrüppeln, to cripple
verkünden = **verkündigen**
verkündigen, to make known; to pronounce
Verladehof, *m.*, shipment *or* freight yard
Verladeplatz, *m.*, loading place

verlangen, to demand, require, desire
verlangsamt, retarded, sloweddown
verlassen (ie, a), to leave behind, leave, forsake
Verleumdung, *f.*, slander, defamation
verlieben, *refl.*, to fall in love
verliebt, amorous, in love
verlieren (o, o), to lose; *refl.*, to disappear, lose oneself
verlorengeben (a, e), *sep.*, to take for lost
Verlust, *m.*, loss, casualty
vermeiden (ie, ie), to avoid
vermögen (**vermochte, vermocht**), to be able to, have the power to
Vermögen, *n.*, means, wealth
vermögend, wealthy
vermuten, to presume, suppose
vermutlich, presumable, probable
vernachlässigen, to neglect
vernehmen (a, **vernommen**), to perceive, hear
Vernehmung, *f.*, hearing, examination, questioning
vernichten, to annihilate, destroy; **mitvernichten**, *sep.*, to annihilate together
vernunftgemäß, rational, logical
vernünftig, reasonable, rational
veröffentlichen, to make public, publish
Verpflegung, *f.*, maintenance, food
Verpflichtung, *f.*, obligation; engagement
Verrat, *m.*, treason, betrayal, treachery
verrichten, to do, perform, accomplish
verringern, *refl.*, to diminish, grow less
verrückt, crazy, mad
Versammlung, *f.*, gathering, assembly, meeting
Versammlungsleiter, *m.*, chairman of a meeting

Versammlungsteilnehmer, *m.,* participant in a meeting
versäumen, to miss
verschaffen, (*dat.*), procure, provide
verschieben (o, o), to remove, shift; to procrastinate, postpone
verschieden, different, unlike
verschlagen (u, a), to send too far; **sich —,** to drive away; **es verschlug ihm das Wort,** it made him speechless
verschleiern, to veil
verschließbar, capable of being locked
verschlingen (a, u), to swallow up, devour
verschollen, forgotten, no longer heard of
verschütten, to spill
Verschwender, *m.,* spendthrift, prodigal
verschwimmen (a, o), to dissolve; to fade away
verschwinden (a, u), to disappear, vanish
versehen (a, e), to provide, furnish with; *refl.,* make a mistake, blunder
versetzen, to transplant, displace; to transfer
versichern, to assure, insure
Versicherungsgesellschaft, *f.,* insurance company
versiegeln, to seal up
versinken (a, u), to sink, be swallowed up
versonnen, lost in thought
versorgen, provide, maintain, take care of
Verspätung, *f.,* lateness; **— haben,** to be late
versprechen (a, o), to promise
verständig, reasonable, sensible; intelligent
verständlich, understandable, intelligible
Verständnis, *n.,* understanding, intelligence

verständnisvoll, appreciative, knowing
verstärken, to strengthen, increase
verstärkt, strengthened, amplified
verstatten, to allow, grant
verstecken, to hide, conceal
verstellen, to disarrange; to bar, block
verstorben, deceased
verstreichen (i, i), to slip away; to elapse
verstreuen, to scatter, strew about
verstümmeln, to mutilate
verstummen, to grow speechless
versuchen, to attempt, try; to tempt
versunken, absorbed, engrossed; sunken, degraded
Verteidiger, *m.,* defender, counsel for the defense
verteilen, to distribute, divide
vertiefen, *refl.,* to become absorbed in; to plunge into
Vertrag, *m.,* accord, agreement, bargain
Vertragsbruch, *m.,* breach of agreement *or* treaty
vertrauen, to confide, trust; **anvertrauen,** to confide in, trust
Vertrauen, *n.,* confidence, trust
Vertrauensmann, *m.,* confidant
verträumt, dreamy
vertreten (a, e), to obstruct the way; to represent
verursachen, to cause, give rise to
verurteilen, to condemn, sentence
Verurteilte, *m.,* condemned person
verwahren, to guard, preserve, secure
Verwalter, *m.,* administrator
Verwaltung, *f.,* government, administration; **Eisenbahnverwaltung,** *f.,* railroad management
Verwaltungsbeamte, *m.,* government official
verwerflich, objectionable
verwirklichen, to realize, carry out
verwirren, to confuse
verwunden, to wound

Verwunderung, *f.*, astonishment, surprise
Verwüstung, *f.*, devastation
verzehren, to consume; *refl.*, to fret, waste away
Verzeihung, *f.*, pardon
verziehen (verzog, verzogen), to twist, distort
verzweifelt, despairing, desperate
verzweiflungsvoll, despairing, desperate
Vetter, *m.*, cousin
vibrieren, to vibrate
vielfach, manifold, various, many times
vielmehr, rather
Vierunddreißigjähriger, *m.*, man of thirty-four years of age
Villenviertel, *n.*, residential section
Visitkartenschale, *f.*, cardcase (for visiting cards)
Volksbetrüger, *m.*, deceiver of the people
Volldampf, *m.*, full steam
vollends, entirely, completely
vollführen, to carry out
völlig, full, complete; thorough
vollkommen., complete
Vollkommenheit, *f.*, perfection, completion
vollständig, complete, entire
von — her, since, ever since
vonstatten gehen (ging, gegangen), to come off, take place
voran, in front, first, foremost
voraus, in advance; previously; ahead
Voraussage, *f.*, prediction
Voraussagung, *f.*, prediction
vorbehaltslos, without reservation, unconditional
vorbei, past, over, done with; along
vorbeiführen, *sep.*, to lead past
vorbeirücken, *sep.*, to move by
vorbeiziehen (zog vorbei, vorbeigezogen), *sep.*, to pass, march by

Vorbereitungszeit, *f.*, preparatory period
vorbestimmt, predetermined
vorbeugen, *sep.*, to bend forward; *(with dat.)*, to prevent, take precautions
vorbringen (brachte vor, vorgebracht), *sep.*, to bring forward, state
vorbrüllen, *sep.*, to bellow out
vorder, front, fore
vorfinden (a, u), *sep.*, to find
Vorgarten, *m.*, front garden
vorgehen (ging vor, vorgegangen), *sep.*, to precede; to happen
Vorgesetzte, *m.*, superior
vorhaben (hatte vor, vorgehabt), *sep.*, to have in view, intend
vorhalten (ie, a), *sep.*, to hold before; to reproach; **er hielt es ihm vor,** he reproached him for it
vorhanden, at hand, present, existent
Vorhang, *m.*, curtain
vorher, before, previously
vorig, former, previous
vorkommen (kam vor, vorgekommen), *sep.*, to happen, come to pass; to come forth, appear
Vorladung, *f.*, summons
vorlagern, *sep.*, to extend *or* stretch out before
vorläufig, previous, preliminary, for the present
vorlegen, *sep.*, to place before, display, show
Vormittag, *m.*, forenoon
vornehm, refined, distinguished
vornehmen (a, vorgennomen), *sep.*, to take before; to undertake; *refl.*, *(dat.)*, to intend
Vorortbahn, *f.*, suburban train
Vorschlag, *m.*, proposal
vorschreiben (ie, ie), *sep.*, to order, direct
Vorschrift, *f.*, prescription; rule, order; **nach —,** as ordered
vorsetzen, *sep.*, to set before; **sich** *(dat.)* **—,** to intend, resolve

Vorsicht, *f.,* foresight, caution
vorsichtig, cautious
Vorsprung, *m.,* projection; lead, advantage
vorstehen (a, a), *sep.,* to stand before, precede; to jut out
vorstellen, *sep.,* to introduce; **sich** *(dat.)* —, to imagine
Vorstellung, *f.,* introduction; idea, notion
vorstoßen (ie, o), *sep.,* to push forward; to project
vortreten (a, e), *sep.,* to step forward, advance
vorübergleiten (i, i), *sep.,* to glide by
vorüberziehend, passing
vorweggenommen, deducted; anticipated
vorweltlich, primeval
vorwerfen (a, o), *sep.,* to throw forward, cast before; *(with dat.)* to reproach
Vorwurf, *m.,* reproach
vorziehen (zog vor, vorgezogen), *sep.,* to prefer; to draw forth
Vorzug, *m.,* preference; excellence, superiority

Wache halten (ie, a), to keep guard
wachen, to guard, sit up, be awake
wachliegen (a, e), *sep.,* to lie awake
wachsen (u, a), to grow; **heranwachsen,** *sep.,* to grow up
Wächter, *m.,* watchman
Wachtpersonal, *n.,* guards
Waffe, *f.,* weapon
waffenlos, unarmed
Waffenrock, *m.,* tunic
wagen, to dare, attempt
Wagen, *m.,* vehicle, wagon, coach
Wagenlänge, *f.,* car length
wagrecht, horizontal
wählen, to choose, elect
wahnsinnig, insane, crazy
wahr, true; **so —,** as sure as

währen, to last
wahrhaftig, true, real
Wahrheit, *f.,* truth
wahrnehmen (a, wahrgenommen), *sep.,* to notice, observe
Wahrscheinlichkeit, *f.,* probability, likelihood
Währung, *f.,* currency, standard
Waldschule, *f.,* open-air school for sickly children
Wall, *m.,* mound, embankment
Wandel, *m.,* change; behavior
wandeln, to walk, wander
Wange, *f.,* cheek
Wärterhaus, *n.,* railroadman's house
Wartesaal, *m.,* waiting room
Wäsche, *f.,* wash; underclothing
Wäscherin, *f.,* laundress
Waschzeug, *n.,* toilet articles
Wasserablauf, *m.,* drain, water outlet
Wassermasse, *f.,* mass of water
wechseln, to change
weg, away
Weg, *m.,* way, road; **sich auf den — machen,** to start out for
wegdrängen, *sep.,* to push away
wegführen, *sep.,* to lead away
wegsausen, *sep.,* to whiz away
wegschaffen, *sep.,* to clear away, carry away
wegspreizen, *sep.,* to spread wide away, stretch out and away
weh, sore, painful; **— tun,** to ache; to hurt
Wehe, *f.; pl.,* **Wehen,** labor pains
wehen, to flutter, wave, blow along
wehmütig, sad, melancholy
wehren, to check, restrain; *refl.,* to resist, defend oneself
Weib, *n.,* woman
weiblich, womanly, feminine
weich, soft, smooth, weak
Weiche, *f.,* switch
weichen (i, i), to yield, give way; **zurückweichen,** *sep.,* to retreat, withdraw
Weichenwärter, *m.,* switchman

Weichmut, *m. & f.*, soft-heartedness
Weide, *f.*, pasture
weiden, to graze
Weidvieh, *n.*, grazing cattle
weinen, to cry
Weise, *f.*, way, manner
weisen (ie, ie), to show, direct; aufweisen, *sep.*, to exhibit, show; hinweisen, *sep.*, *with* auf (*acc.*), to point to, refer to
Weisheit, *f.*, wisdom
weißgesichtig, white-faced
weißlippig, white-lipped
weißruhend, calmly resting and looking white
weit, wide, broad, large
weitausholen, *sep.*, to lift the arm up high
weitergeben (a, e), *sep.*, to pass on, transmit
weitläufig, vast
weiträumig, spacious
Weizen, *m.*, wheat
weltberühmt, world-famous
Welterlösungsversuch, *m.*, attempt to set the world free
weltfern, removed from the world, remote
Weltreich, *n.*, world empire
Wendekreis, *m.*, tropic (of Cancer, etc.); zwischen den Wendekreisen, in the tropics
wenden (wandte, gewandt), to turn, veer; abwenden, *sep.*, to turn away; einwenden, *sep.*, to object, protest; hinwenden, *sep.*, to turn toward; umwenden, *sep.*, to turn around; zuwenden, *sep.*, to turn toward
wenig, little; ein —, a little
wenigstens, at least
wenn auch, although, even though
wenngleich, although
werben (a, o), to court, solicit, woo
werden (wurde, geworden), to become
werfen (a, o), to throw, fling; hinwerfen, *sep.*, to throw away; umwerfen, *sep.*, to overturn, upset; vorwerfen, *sep.*, to throw forward, cast before; zurückwerfen, *sep.*, to throw back
Werft, *f.*, dockyard
Werk, *n.*, work, act, deed; factory; zu — e gehen, to set about
werken, (*rarely used*), to work very hard
Werkführer, *m.*, foreman
Werkstattdach, *n.*, workshop roof
Wert, *m.*, worth, value
wertvoll, valuable
Wesen, *n.*, being, existence
weshalb, why, for what reason
Weste, *f.*, vest
Wette, *f.*, bet, wager
Wetterfahne, *f.*, weathercock
wichtig, important
Wickeltisch, *m.*, table on which a newborn baby is swathed
widerrufen (ie, u), to revoke, retract; to disavow
widerspiegeln, *sep.*, to reflect
widersprechen (a, o), to contradict; to oppose
Widerspruch, *m.*, contradiction; opposition
widerspruchslos, uncontradictory, unopposing
Widerstand, *m.*, resistance, opposition
widerstandsfähig, capable of resistance
widerstehen (widerstand, widerstanden), to resist
wiedererlangen, *sep.*, to regain
wiederfinden (a, u), *sep.*, to regain
wiederholen, to repeat
wiederkäuen, *sep.*, to ruminate
Wiederkehr, *f.*, return, repetition
wiederkehren, *sep.*, to return, come back
Wiege, *f.*, cradle
Wiese, *f.*, meadow
Willkür, *f.*, arbitrariness, caprice; choice
wimmern, to whimper, moan

Windung, *f.*, twist, coil
winken, to beckon, nod; **abwinken**, *sep.*, to warn by a nod not to do or say something
winzig, tiny
wirken, to be active; to effect, produce an impression
wirklich, actual, real
Wirklichkeit, *f.*, reality, actual fact
Wirkung, *f.*, effect, impression produced
Wirtschaft, *f.*, economy; housekeeping
wirtschaftlich, economic
wischen, to wipe
wissenschaftlich, scientific, scholarly
Witz, *m.*, joke, wit
witzeln, to joke
wochenlang, for weeks
wohl, well, good; probably; **sie fühlte sich wohl**, she felt good; **es tat —**, it was pleasant; **— tat er daran**, he did well by it; **sich** (*dat.*) **es— sein lassen**, to enjoy oneself
wohlbekannt, well-known
wohlerwogen, duly pondered *or* considered
wohletabliert, well-established
wohlgenährt, well-fed
wohlhabend, well-off, wealthy
Wohlstand, *m.*, well-being; wealth
wohltuend, beneficent, comforting
wohnen, to live, dwell; **beiwohnen**, *sep.*, to attend, be present at
Wohngebäude, *n.*, dwelling house, residence
Wohnraum, *m.*, living room
Wohnung, *f.*, dwelling, apartment
worauf, whereupon
wortkarg, taciturn, laconic
Wortlaut, *m.*, wording, text
wortlos, speechless
Wrack, *n.*, wreck
Wucher, *m.*, usury
Wucherer, *m.*, usurer
Wuchs, *m.*, growth, form, figure

Wucht, *f.*, weight, pressure
wund, sore, wounded
wunderbar, wonderful, amazing
Wunsch, *m.*, wish, desire
Würdegefühl, *n.*, feeling of dignity, honor
würdevoll, full of dignity
würdig, worthy
würgen, to choke
Wurzel, *f.*, root
Wurzelwerk, *n.*, roots
wüst, confused; wild, rude
wütend, furious, raging
Wutschrei, *m.*, cry of rage

x-beinig, knock-kneed

zackig, pointed, jagged
zäh, tough, obstinate
Zahl, *f.*, number, figure
zahlen, to pay; **heimzahlen**, *sep.*, to repay
zählen, to count; **nachzählen**, *sep.*, to count over
zahllos, countless
zahlungsfähig, able to pay, solvent
Zahnradgleis, *n.*, cogwheel track
zart, tender, delicate, frail, pale
zartbraun, light brown
Zärtlichkeit, *f.*, tenderness, fondness
Zauber, *m.*, magic, spell
Zaun, *m.*, fence
zäunen, to fence; **einzäunen**, *sep.*, to fence in
Zehe, *f.*, toe; **auf den Zehenspitzen**, on tiptoe
zeichnen, to sketch
Zeigefinger, *m.*, forefinger
zeigen, to show
Zeile, *f.*, line
zeitfern, removed from the time
zeitlebens, all his life
Zeitpunkt, *m.*, moment
Zeitung, *f.*, newspaper
zeitweise, from time to time; for a time
Zelle, *f.*, cell

zerbrechen (a, o), to smash to pieces, shatter
zerfallen (zerfiel, zerfallen), to fall apart, disintegrate
zerfetzen, to tear to pieces
zergehen (zerging, zergangen), to melt, dissolve
zerklüftet, cleft
zerreißen (i, i), to tear up
zerren, to pull, tug; zurückzerren, *sep.*, to pull back
zerschellen, to shatter
zerschmettern, to shatter, smash
Zerschmetterung, *f.*, shattering, smashing, crash
zerschneiden (zerschnitt, zerschnitten), to sever
zerstampfen, to crush
zerstäuben, to pulverize; to disperse
zerstören, to destroy, ruin
zerstörerisch, destructive, ravaging
zertreten (a, e), to trample under foot
Zeuge, *f.*, witness
Zeugnis, *n.*, certificate, report; testimony
ziehen (zog, gezogen), to draw, pull; to derive; den Hut —, to doff the hat; anziehen, *sep.*, to draw, attract; to put on; davonziehen, *sep.*, to move away; einziehen, *sep.*, to draw in, take in, collect; to move in; heranziehen, *sep.*, to draw on; to interest in; heraufziehen, *sep.*, to pull up; herunterziehen, *sep.*, to pull off; vorbeiziehen, *sep.*, to pass, march by; vorziehen, *sep.*, to draw forth; to prefer; zurückziehen, *sep.*, to draw back; to withdraw; zuziehen, *sep.*, to draw together (curtain)
Ziel, *n.*, goal, target
ziemlich, rather, considerable
Ziffer, *f.*, number
Zimmergenosse, *m.*, roommate

Zimmermitte, *f.*, middle of the room
Zins, *m.; pl.*, Zinsen, interest
Zinsknechtschaft, *f.*, interest bondage
Zirpen, *n.*, chirp
zischen, to hiss
Zitat, *n.*, quotation
zittern, to tremble, shake; to quiver
Zögern, *n.*, delay, hesitation
zögern, to hesitate
Zorn, *m.*, anger
zu allem hin, besides that, in addition to
zubringen (brachte zu, zugebracht), *sep.*, to bring; to pass, spend
Zuchthaus, *n.*, penitentiary
Zuchthaustor, *n.*, penitentiary gate
Zuchthaustracht, *f.*, prison garb
zucken, to move convulsively, jerk; to shrug; loszucken, *sep.*, to flash free; zusammenzucken, *sep.*, to shudder with shock, be startled
Zuckerplantage, *f.*, sugar plantation
Zuckung, *f.*, jerk, quiver, palpitation
zu dritt, all three, the three of them
zueilen, *sep.*, to rush to, hurry toward
zuerst, at first
Zufall, *m.*, chance, chance happening
zufällig, accidental, by chance
zufrieden, satisfied; — geben, *refl.*, to be satisfied with; — machen, to satisfy
zufriedenstellend, satisfactory
Zug, *m.*, train; procession; pull; characteristic
Zugang, *m.*, access, entry
zugänglich, accessible, approachable; affable
zugeben (a, e), *sep.*, to concede, admit

zugehen (ging zu, zugegangen), *sep.*, to close; to go up to, move toward

Zuggeräusch, *n.*, noise made by a train

zugleich, at the same time, together

zugreifen (griff zu, zugegriffen), *sep.*, to lay hold of

Zugrundelegung, *f.*, basis, foundation; **bei —**, under the assumption

zukommen (a, o), *sep.*, **auf** (*acc.*), to approach, come near to

Zukunft, *f.*, future

zuletzt, finally

zumauern, *sep.*, to wall up

zumeist, mostly

zumessen (maß zu, zugemessen), *sep.*, to mete out

zunächst, first of all, chiefly

Zuneigung, *f.*, affection, attachment

Zunge, *f.*, tongue

zunicken, *sep.*, to nod to

zurechtfinden (a, u), *sep.*, to find one's way

zurechtlegen, *sep.*, to lay in order; **sich** (*dat.*) **—**, to explain, account for; to make up, procure

zurückbleiben (ie, ie), *sep.*, to remain behind, survive

zurückblicken, *sep.*, to look back

zurückdrängen, *sep.*, to press, push back; to repel

zurückerstatten, *sep.*, to return, restore

zurückführen, *sep.*, to lead back

Zurückgewinnung, *f.*, winning back, regaining

zurückkehren, *sep.*, to return

zurückknallen, *sep.*, to crash back

zurücklegen, *sep.*, to lay aside; to travel; **einen Weg —**, to cover a certain distance

zurücklehnen, *sep.*, to lean back

zurückliegen (a, e), *sep.*, to be in the past, hark back

zurückschlagen (u, a), *sep.*, to strike back, repel

zurückschnellen, *sep.*, to rebound, recoil

zurückweichen (i, i), *sep.*, to retreat, withdraw

zurückwerfen (a, o), *sep.*, to throw back

zurückzerren, *sep.*, to pull back

zurückziehen (zog zurück, zurückgezogen), *sep.*, to draw back, withdraw

zusammen, together

Zusammenarbeit, *f.*, co-operation

zusammenbrechen (a, o), *sep.*, to collapse

Zusammenbruch, *m.*, collapse

Zusammendrängung, *f.*, pressing together

zusammenfallen (fiel zusammen, zusammengefallen), *sep.*, to collapse

zusammenfalten, *sep.*, to fold up

zusammenfassen, *sep.*, to grasp; to comprise

Zusammengehörigkeit, *f.*, homogeneousness, belonging together

Zusammenhang, *m.*, connection, association

zusammenhängen (i, a), *sep.*, to hang together, be connected

zusammennehmen (nahm zusammen, zusammengenommen), *sep.*, to gather together, muster up; to compose; *refl.*, to pull oneself together; **zusammengenommene Haltung**, stiff bearing

zusammenstoßen (ie, o), *sep.*, to meet, encounter, collide

zusammenzucken, *sep.*, to shudder with shock, be startled

zuschauen, *sep.*, to watch

zuschlagen (u, a), *sep.*, to slam

zusehen (a, e), *sep.*, to look at, watch

Zuspruch, *m.*, exhortation; encouragement; consolation

Zustand, *m.*, condition, state

zuständig, belonging to; competent

zustreben, *sep.*, to endeavor to reach
zuteilen, *sep.*, to allot, assign
zutiefst, at bottom, deeply
zutorkeln, *sep.*, to stagger over
zutrauen, *sep.*, to trust; to entrust to
zutrauenswürdig, trustworthy, reliable
zutreiben (ie, ie), *sep.*, to drive toward
Zuversicht, *f.*, reliance, certainty, confidence
zuvor, formerly; **je zuvor,** ever before
zuweilen, sometimes, now and then
zuweisen (ie, ie), *sep.*, to assign, allot
zuwenden (wandte zu, zugewandt), *sep.*, to turn toward
zuziehen (zog zu, zugezogen), *sep.*, to draw together
Zweck, *m.*, purpose
zweifelhaft, undecided, questionable, suspicious
zweifellos, doubtless
zweifeln, to doubt; — **an** (*acc.*), to be in doubt about
Zwielicht, *n.*, twilight
zwiespältig, discordant; divided
Zwilling, *m.*, twin
zwingen (a, u), to compel, force
zwinkern, to wink, blink
zwischendurch, at times, at intervals
Zwistigkeit, *f.*, dissension, quarrel
zwitschern, to twitter, chirp
Zylinder, *m.*, cylinder; top hat
Zyniker, *m.*, cynic
zynisch, cynical
Zynismus, *m.*, cynicism